Le Parti pris du monde

22 poèmes contemporains

La poésie
dans la collection « Étonnants Classiques »

APOLLINAIRE, *Alcools*
Au nom de la liberté (anthologie)
BAUDELAIRE, *Les Fleurs du mal*
DU BELLAY, *Les Regrets*
LA FONTAINE, *Le Corbeau et le Renard et autres fables* (collège)
Fables (lycée)
Poèmes de la Renaissance (anthologie)
Poésie et lyrisme (anthologie)
Poésie, j'écris ton nom (anthologie)
RIMBAUD, *Poésies*
VERLAINE, *Fêtes galantes, Romances sans paroles* précédées de *Poèmes saturniens*

ISBN : 978-2-0812-8968-0
ISSN : 1269-8822

ÉTONNANTS • CLASSIQUES

Le Parti pris du monde

22 poèmes contemporains

Présentation, notes, dossier et cahier photos par
ÉLISE SULTAN,
professeur de lettres et de philosophie

Flammarion

SOMMAIRE

PRÉSENTATION

La poésie des origines à nos jours

La production poétique des années 1910 à nos jours constitue le *corpus* de la poésie moderne et contemporaine. Réputés difficiles d'accès, les textes contemporains demandent parfois à être décryptés, ne gardent pas de structures fixes, et la plupart d'entre eux se passent même de rimes. En ce sens, ils ne semblent pas correspondre à ce que nous avons pris l'habitude d'appeler « poésie ». Pourtant, la création poétique actuelle s'inscrit bien dans une longue tradition, dont elle reprend en partie l'héritage.

La poésie dans l'Antiquité et au Moyen Âge

Type de discours très ancien, la poésie est la première forme de littérature. Elle apparaît très tôt dans toutes les civilisations, avant même l'existence de l'écriture. La poésie est alors orale, très proche de la musique. Comme la chanson, elle a pour fonction de faciliter la mémorisation de traditions et de récits légendaires.

Dans l'Antiquité grecque et romaine, les poèmes se composent de vers aux rythmes complexes, chantés ou psalmodiés, souvent avec un accompagnement musical. La mythologie grecque associe à la poésie et au chant les mêmes divinités

(Apollon et les Muses), un même symbole (la lyre, instrument de musique à cordes) et un même héros : Orphée, qui a pu charmer Hadès, le dieu des morts en personne. En effet, la poésie est un art divin, une parole sacrée. Le terme même de poésie, du grec *poiein* («faire», «créer»), désigne une œuvre supérieure dont la matière première est le langage. Le poète est considéré comme un *vates*, «prophète» en latin, un être inspiré, intermédiaire entre les dieux et les hommes, qui témoigne du pouvoir magique des mots. Ce caractère religieux explique la prédominance de la poésie dans la littérature antique, et surtout de l'épopée, célébration des exploits des héros : *L'Iliade* et *L'Odyssée* d'Homère en sont les exemples les plus célèbres.

Au début du Moyen Âge, la poésie garde sa fonction de célébration et son lien privilégié avec la musique à travers deux genres principaux : la chanson de geste et la poésie courtoise.

La chanson de geste est récitée en langue d'oïl[1] par des trouvères, dans un vers précis, le décasyllabe[2]. Comme l'épopée, elle narre des exploits (*gesta*, qui a donné «geste», signifie en latin «actions d'éclat»), accomplis par des héros et des chevaliers légendaires : *La Chanson de Roland* célèbre ainsi la dernière bataille du guerrier Roland contre l'armée des Maures. Quant à la poésie courtoise, œuvre des troubadours, les poètes de langue d'oc, elle exalte l'amour et la nature dans des chansons savantes : pastourelle, ballade ou rondeau[3], comprenant un refrain et un phrasé musical.

---

1. ***Langue d'oïl*** : langue romane du nord de la France, au Moyen Âge. Elle s'oppose à la ***langue d'oc***, parlée dans le sud de la France.
2. ***Décasyllabe*** : vers de dix syllabes, l'un des trois vers classiques avec l'octosyllabe (de huit syllabes) et l'alexandrin (de douze syllabes). Pour les termes de versification, voir «Petit rappel sur les vers et les rimes», p. 140.
3. ***Pastourelle*** : poème racontant la séduction d'une bergère par un chevalier. ***Ballade*** : poème de trois strophes qui s'achèvent sur un refrain, et dont la quatrième strophe, ou «envoi», nomme le dédicataire du poème. ***Rondeau*** : poème de trois strophes, qui doit son nom à la ronde que l'on dansait en le

Ce n'est qu'au XIVe siècle que la poésie devient un genre littéraire séparé de la chanson et développe ses propres formes indépendamment de la musique. Les textes se font alors mélodieux en eux-mêmes, par leurs sonorités et leurs rythmes, comme l'attestent les poésies de Charles d'Orléans (1394-1465) et de François Villon (v. 1431-apr. 1463).

Poésie de la Renaissance, ou le renouveau de la langue française

La Renaissance marque un bouleversement profond de la culture et de la littérature en Europe. Protégés par des princes ou des rois, les poètes de cette époque rejettent les formes médiévales pour s'inspirer de l'Antiquité. C'est à cette période que réapparaît la poésie lyrique, héritée de modèles antiques, et que le sonnet[1], d'origine italienne, est mis à la mode en France par Clément Marot (1496-1544), poète de François Ier.

Les écrivains les plus marquants de la Renaissance sont les sept poètes de la Pléiade, cercle littéraire dont Ronsard (1524-1585) et Du Bellay (1522-1560) sont les chefs de file. Leur objectif consiste à enrichir la langue française (Du Bellay publie le manifeste *Défense et illustration de la langue française* en 1549) et à importer en France les grands genres poétiques de l'Antiquité et de l'Italie (à travers *Les Regrets* de Du Bellay, les *Odes*, les *Amours de Cassandre* et les *Sonnets pour Hélène* de Ronsard). La Renaissance voit aussi émerger des poétesses, comme Louise Labé (1526-1566), et assiste à l'apparition de la poésie engagée

---

chantant. Dans un rondeau, le début du premier vers revient après le sixième et à la fin du poème, formant un refrain.

1. ***Sonnet*** : poème composé de deux quatrains et de deux tercets et obéissant à une structure de rimes fixe.

avec *Les Tragiques* d'Agrippa d'Aubigné[1]. La versification évolue également : prenant le pas sur l'octosyllabe ou le décasyllabe, caractéristiques de la poésie médiévale, l'alexandrin devient désormais le vers de prédilection des poètes. De même, au lieu de se limiter aux rimes plates – schéma où les rimes se suivent simplement les unes les autres –, les poètes pratiquent les rimes croisées ou embrassées. Après la Renaissance, le genre poétique est donc diversifié, renouvelé, doté de formes et de codes nouveaux.

Poésie baroque et poésie classique

Le XVIIe siècle voit s'opposer deux grands courants poétiques. D'une part, les auteurs comme Sponde ou Chassignet[2] multiplient les effets stylistiques marqués (accumulation, exagération) et développent les thèmes de l'illusion et de la méditation sur la mort. Qualifiée de « baroque[3] », cette poésie apparaît à la fois précieuse et irrégulière, virtuose et hors normes. Des poètes libertins, comme Théophile de Viau (1590-1626), font polémique par leurs provocations contre l'Église et ses dogmes, en revendiquant la liberté de penser, le plus souvent à leurs dépens.

Mais c'est aussi au XVIIe siècle qu'est définie une forme « classique » de la poésie. François de Malherbe (1555-1628) puis Nicolas Boileau (1636-1711) accusent les auteurs qui les précèdent de manquer de rigueur stylistique. Dans son *Art poétique*, Boileau indique ainsi des règles à suivre pour tout bon

---

1. ***Agrippa d'Aubigné*** (1552-1630) : poète français, de religion protestante. Son poème en sept livres et en alexandrins, *Les Tragiques*, dénonce les exactions des catholiques pendant les guerres de Religion.
2. ***Sponde*** (1557-1595), ***Chassignet*** (1571-1635) : poètes baroques français.
3. ***Baroque*** est à l'origine un terme de joaillerie qui désigne des perles de forme irrégulière.

poète. Obéissant à des mètres et à des structures de rimes fixes, les vers doivent être écrits dans une langue pure (sans provincialisme ni mot étranger), respecter la structure grammaticale de la phrase (sans enjambement) et se prononcer de manière harmonieuse (sans hiatus). L'usage poétique doit ainsi participer à un idéal de perfection de la langue française. Cette poésie classique domine toute la fin du XVIIe siècle et reste prépondérante jusqu'au XIXe siècle[1].

Le XIXe siècle : révolutions poétiques

Le XIXe siècle est une ère de bouleversements du genre poétique. Dès les années 1820, le mouvement littéraire et culturel du romantisme remet en cause l'héritage du classicisme. Alphonse de Lamartine (1790-1869), Victor Hugo (1802-1885), Alfred de Vigny (1797-1863) refusent les formes trop strictes, réintroduisent les genres du Moyen Âge et de la Renaissance et portent la poésie lyrique à son apogée. En effet, le romantisme fonde son esthétique sur l'effusion du moi et l'expression exaltée des sentiments personnels ; il prend la mélancolie, l'amour, la fuite du temps et la nature pour thèmes de prédilection. La poésie engagée n'est pas en reste : *Les Châtiments* de Victor Hugo font la satire de Napoléon III[2], causant l'exil de leur auteur. Chez Victor Hugo, poésie engagée et poésie lyrique se

---

1. Cependant, au siècle des Lumières, certains poètes innovent dans leurs thèmes, comme Voltaire (1694-1778) qui célèbre le progrès des hommes plus que la Providence divine dans *Le Mondain* (1736) et le *Poème sur le désastre de Lisbonne* (1756). À la fin du siècle, André Chénier (1762-1794) privilégie l'expression lyrique de soi dans ses *Élégies* (1780) et ses *Bucoliques* (publication posthume en 1819).

2. ***Napoléon III*** (1808-1873) : Louis-Napoléon Bonaparte, élu président de la IIe République, renversa le régime en 1851 et se proclama empereur des Français en 1852.

rejoignent : investi d'une mission, le poète retrouve sa figure de prophète, en harmonie avec la nature et adressant au peuple ses rêves sacrés.

Mais l'auteur qui va véritablement ouvrir de nouvelles voies est Charles Baudelaire (1821-1867), dans son recueil *Les Fleurs du mal*. Le poète y exprime son angoisse existentielle, le « spleen », cultive le goût du bizarre et cherche à choquer le lecteur plutôt qu'à lui plaire par le spectacle de la beauté. Abordant sans retenue des sujets subversifs – tel un cadavre en décomposition (« Une charogne ») –, Baudelaire affirme son originalité : « Des poètes illustres s'étaient partagés depuis longtemps les provinces les plus fleuries du monde poétique. Il m'a paru plaisant, et d'autant plus agréable que la tâche était plus difficile, d'extraire la beauté du Mal[1]. » Dans un autre recueil, il développe le genre du poème en prose[2] : ses *Petits Poèmes en prose* réalisent « le miracle d'une prose poétique, musicale, sans rythme et sans rime, assez souple et assez heurtée pour s'adapter aux mouvements lyriques de l'âme, aux ondulations de la rêverie, aux soubresauts de la conscience[3] ».

Les admirateurs de Baudelaire approfondissent son héritage, et notamment ceux qui se proclament « poètes maudits[4] » : Paul Verlaine (1844-1896) ou encore le rebelle Arthur Rimbaud (1854-1891) créent une poésie en rupture avec la société bourgeoise et

---

1. Projet de préface pour l'édition de 1861 des *Fleurs du mal*, cité dans *Les Fleurs du mal*, éd. A. Princen, Flammarion, coll. « Étonnants Classiques », 2008, p. 265-266.

2. Un ***poème en prose*** est un texte poétique qui ne comporte pas de vers, mais repose sur la musique des mots et la force des images. Ce genre fut inventé au XIXe siècle par le poète Aloysius Bertrand (1807-1841).

3. *Le Spleen de Paris*, éd. D. Scott et B. Wright, GF-Flammarion, 1987, p. 74.

4. Selon le titre d'un ouvrage de Paul Verlaine, daté de 1884, rendant hommage aux poètes de la fin du Second Empire aux débuts de la IIIe République.

avec les règles de la littérature classique. Si Verlaine généralise l'usage des vers impairs[1] dans ses poèmes, Rimbaud s'autorise toutes les innovations formelles (vers impairs, poèmes en prose et même vers libres). Dès ses écrits de jeunesse, il est déterminé à fonder une nouvelle esthétique : « Je veux être poète, et je travaille à me rendre *voyant* : vous ne comprendrez pas tout, et je ne saurais presque vous expliquer. Il s'agit d'arriver à l'inconnu par le dérèglement de *tous les sens*[2] », révèle-t-il dans une lettre adressée à son ami Georges Izambard, dite « Lettre du voyant ». Le poète « trouv[e] une langue[3] » : il travaille le langage, sur la forme autant que sur le fond, sur le sens propre autant que sur tous les sens figurés.

Stéphane Mallarmé (1842-1897), « poète maudit » selon Verlaine, produit une œuvre surprenante, où les vers et la syntaxe sont scrupuleusement respectés mais où les textes, hermétiques, livrent difficilement leur sens. En métamorphosant le langage quotidien, le poète a pour but de retrouver une certaine pureté de la parole. Mallarmé explore de nouvelles possibilités : dans son ouvrage *Un coup de dés jamais n'abolira le hasard*, il dispose les mots sur toute la page et laisse délibérément de grands espaces blancs, qui frappent l'œil du lecteur et l'invitent à la méditation. Baudelaire, Rimbaud et Mallarmé font et feront désormais figure de référence pour les poètes qui s'engagent à leur suite sur la voie de la modernité.

La poésie de la modernité

À partir du XXe siècle, la poésie se libère définitivement de toutes les contraintes. C'est alors que naît la poésie

1. ***Vers impairs*** : vers composés d'un nombre impair de syllabes (3, 5, 7, 9, 11, etc.). Ils s'opposent aux vers pairs, privilégiés par la poésie classique.
2. Rimbaud, « Lettre à Georges Izambard », *Poésies*, éd. S. Thonnerieux, Flammarion, coll. « Étonnants Classiques », 2013, p. 83-86.
3. Rimbaud, « Lettre à Paul Demeny », *Poésies*, éd. citée, p. 86-99.

contemporaine, marquée par une grande diversité de style et une absence d'unité. Cette nouvelle orientation trouve son origine dans l'œuvre de Guillaume Apollinaire (1880-1918), puis dans le mouvement du surréalisme, créé pendant les années 1920. Ses principaux représentants, les poètes André Breton (1896-1966), Paul Eluard (1895-1952), Louis Aragon (1897-1982), Philippe Soupault (1897-1990) et Robert Desnos (1900-1945) cherchent à laisser libre cours à l'inconscient, aux rêves et à l'imaginaire. Ils s'affranchissent des règles métriques et préfèrent aux vers classiques les vers libres, sans rimes ni nombre fixé de syllabes. Pour donner lieu à des créations poétiques inattendues, ils pratiquent des jeux d'écriture collective, comme le cadavre exquis[1], mais aussi l'écriture automatique – l'auteur couche sur le papier les mots qui lui viennent au fil de ses pensées, sans tenter de les contrôler. De cette authentique « dictée de la pensée[2] » naissent des images inédites et frappantes, belles comme « la rencontre fortuite sur une table de dissection d'une machine à coudre et d'un parapluie[3] ».

Lorsque la Seconde Guerre mondiale éclate et que la France est occupée par les Allemands, la poésie devient un moyen de s'opposer symboliquement ou activement au régime. C'est dans ce contexte, en 1941, qu'est fondée l'École de Rochefort : ce regroupement de poètes entend protester contre la poésie conformiste et nationale que promeut le régime de Vichy, et veut développer l'humanisme et l'expression du moi. La poésie

---

1. ***Le cadavre exquis*** : jeu où chacun écrit successivement une phrase ou un mot d'un texte, sans lire les mots précédents.

2. Définition que donne Breton du surréalisme dans son *Manifeste du surréalisme*.

3. Citation de Lautréamont (*Les Chants de Maldoror*, éd. J.-L. Steinmetz, GF-Flammarion, 1990, p. 289) que Breton considère comme un précurseur du surréalisme.

s'impose comme un acte de résistance à part entière. Paul Eluard, Louis Aragon et Robert Desnos en appellent à la Résistance dans des poèmes engagés, diffusés dans la clandestinité. Le poème « Liberté » d'Eluard est parachuté par les avions anglais dans les maquis ; l'engagement politique héroïque de Robert Desnos cause son arrestation et sa déportation dans un camp de concentration, où il meurt en 1945. La poésie engagée livre aussi d'autres combats : dès les années 1930 et jusqu'à la fin de leur vie, les poètes francophones de la négritude[1], notamment le Sénégalais Léopold Sédar Senghor (1906-2001) et le Martiniquais Aimé Césaire (1913-2008), se font les porte-parole des peuples noirs. Par le biais d'une poésie qui renoue profondément avec l'oralité, ils se révoltent contre toutes les formes d'oppression.

Dans la seconde moitié du XXe siècle, la poésie engagée est remise en question, pendant que les voix poétiques les plus diverses s'expriment dans des formes infiniment variées et sur tous les tons. L'un des mouvements les plus marquants de cette époque est l'OuLiPo (Ouvroir de littérature potentielle) créé en 1960 par Raymond Queneau (1907-1988). Son esthétique repose sur le principe de la contrainte. En se fixant des règles d'écriture strictes, voire arbitraires (poèmes écrits à partir de vers empruntés à d'autres, ou écrits au rythme du métro parisien...), les oulipiens expérimentent de nouvelles formes poétiques, réinvestissent le niveau de langue familier et créent une littérature ludique. Les auteurs multiplient les jeux sur les mots et sur leurs différents sens (propre et figuré), mélangent les tons et les styles. C'est dans les expressions les plus courantes qu'ils

1. ***La négritude*** : le fait d'être noir ; inventé par Aimé Césaire, ce terme désigne un courant politique et littéraire qui met en avant l'identité culturelle des pays africains et des communautés noires du monde entier.

dénichent les images poétiques, en explorant toutes les possibilités du langage.

La poésie ne prend pas nécessairement la forme d'un texte écrit pour la lecture : des textes célèbres sont mis en musique, pendant que des auteurs-compositeurs créent des chansons dont les textes sont de véritables poèmes. On peut citer Boris Vian (1920-1959), à la fois romancier, poète et musicien, ou les grands chanteurs à texte que sont Georges Brassens (1921-1981), Jacques Brel (1929-1978), Léo Ferré (1916-1993) et Serge Gainsbourg (1928-1991). Aujourd'hui, le rap et le slam[1] recréent encore le lien, très ancien, entre poésie et musique.

Une poésie du renouveau

L'ordinaire et la modernité comme objets poétiques

La poésie contemporaine renouvelle les sujets et les codes poétiques : le quotidien le plus ordinaire ainsi que la technologie du monde moderne font irruption en poésie. Alors qu'aux âges classique et romantique les poèmes étaient consacrés à des thèmes nobles – beauté, amour, nature, etc. –, à présent tous les objets, même les plus modestes, sont matière à poésie. La « chose » banale est mise à l'honneur par des auteurs comme Eugène Guillevic (1907-1997) dans son recueil *Choses*, et surtout Francis Ponge (1899-1988), qui dédie des poèmes à « L'Huître », au « Cageot », à « L'Ustensile » ou encore à « La Cruche »... Francis

1. ***Slam*** : genre au croisement de la récitation et de la chanson. Les textes de slam sont déclamés en rythme, parfois avec un accompagnement musical.

Ponge se revendique ainsi comme poète du quotidien, autrement dit, à l'origine d'une poésie objective se contentant d'enregistrer et de rapporter ce qui est au monde, dans sa trivialité ou son caractère inattendu. Les poètes de la modernité entendent convoquer la puissance d'évocation poétique pour nommer un monde en mutation. Car, si le quotidien est source d'émerveillement, la société de consommation effraie les poètes par ses dangers et ses conséquences perverses.

En effet, dès la fin du XIXe siècle, l'ère de l'industrialisation et de l'urbanisation intensive transforme l'écriture poétique. L'apparition des technologies modernes, de nouveaux moyens de transport (chemin de fer, avions, tramways, automobile) et de communication (téléphone), de l'électricité, de nouveaux arts (photographie, cinéma) crée un nouveau rapport au temps et à l'espace. Les poètes s'emparent de ces innovations techniques : par exemple, en 1913, Apollinaire dépeint les avions, les voitures et les machines à écrire dans son poème « Zone ». Mais l'enthousiasme accompagnant la période de grande effervescence qu'est le début du XXe siècle est ébranlé par la désillusion des guerres mondiales. Objet poétique de prédilection, l'aéroplane est utilisé comme machine de guerre lors des bombardements. Avec leur vitesse accrue, l'automobile et le train saturent les centres urbains et les rendent méconnaissables. Témoins de la dépersonnalisation des villes, les poètes tentent de sauver le peu d'originalité qui reste à ces cités uniformisées.

Reflet de la modernité du monde : la ville des poètes

La vie citadine transforme le rapport du poète au monde. Il ne s'agit plus alors d'évoquer l'harmonie entre les sentiments personnels et la nature, comme dans la poésie lyrique des romantiques, mais de témoigner d'une rupture irréversible entre la sensibilité des hommes et les ensembles urbains, froids et artificiels, où ils vivent. Devant des villes telles que Paris ou Jérusalem, vieilles de plusieurs siècles, et auxquelles la mythologie ou l'histoire attribuent des origines glorieuses, les poètes ressentent une forme de désenchantement. La magie n'opère plus. La gloire et la beauté des cités ancestrales sont révolues. Le poète de la modernité se heurte à l'hostilité de l'environnement urbain et de la foule d'anonymes qui l'habite. Pour conjurer ce sentiment d'angoisse, il doit œuvrer à se réapproprier cette nouvelle nature, *a priori* étrangère à l'univers poétique.

La fascination pour le foisonnement urbain inspire d'abord de nombreux textes contemporains. C'est que la ville symbolise la modernité dans tout ce qu'elle peut avoir de réjouissant, voire d'euphorisant. Les poètes Blaise Cendrars (1887-1961), Apollinaire et Valery Larbaud (1881-1957) chantent leur enthousiasme face à un monde en pleine transformation, dans des hymnes à la gloire du progrès technique. Non sans humour ni sans une certaine forme d'attachement et de tendresse, les poèmes évoquent la ville, ses quartiers, ses rues et ses petites gens.

Le tournant du XXe siècle est marqué par une nouvelle architecture urbaine : le verre, le béton et le métal deviennent les matériaux les plus communs pour la construction des immeubles. Le paysage urbain est transformé. Ce nouveau visage suscite à la fois l'admiration et le rejet des poètes. Dans « À New York », Senghor dénonce le caractère contre-nature de ces irruptions artificielles, qui occultent l'horizon. Pendant que la société pousse à une consommation outrancière, le développement des villes accentue la marginalisation des personnes dont la situation est plus précaire : tout comme Émile Verhaeren (1855-1916) l'avait fait dans ses recueils *Les Campagnes halluci-*

nées et *Les Villes tentaculaires*, les poèmes de Césaire ou de Jacques Réda (né en 1929) décrivent des hommes dans la misère, en marge des centres urbains, associant la peinture de la ville à une critique sociale.

Vers le renouveau des motifs poétiques traditionnels

Comment écrire des poésies après un Lamartine, un Baudelaire, un Verlaine ? Pour se démarquer des grands maîtres du genre, il incombe aux poètes contemporains de renouveler les motifs poétiques traditionnels. Les thèmes récurrents de l'amour, du temps qui passe ou du voyage prennent des formes inédites.

Les poètes contemporains s'approprient en particulier le thème du voyage, sujet classique en poésie, de l'Antiquité (*L'Odyssée* d'Homère) à Baudelaire (« L'Invitation au voyage »), en passant par la Renaissance (*Les Regrets* de Du Bellay relatent le séjour du poète à Rome). Or au XXe siècle, avec le grand paquebot, l'avion et les trains transcontinentaux comme le *Nord-Express*, l'*Orient-Express* ou le *Transsibérien*, les invitations poétiques aux voyages trouvent un nouveau souffle. Le voyage représente une expérience nouvelle, plus radicale, qui peut amener l'écrivain au bout du monde. Il n'y a donc rien d'étonnant à ce que se multiplient les figures de poètes-voyageurs : Paul Claudel (1868-1955), marqué par ses séjours en Asie, Larbaud, qui voyage en Europe et en Russie, Jules Supervielle (1884-1960), qui partage sa vie entre la France et l'Uruguay, Cendrars, qui fugue à seize ans vers la Russie. Ce dernier écrit même un carnet de voyage poétique, *Feuilles de route*, sur ses différents périples. Les moyens de transport deviennent des thèmes poétiques à part entière. Dans *Idéogrammes occiden-*

taux, Claudel s'amuse du dessin formé par le mot « Locomotive » ; Pierre Reverdy (1889-1960) rêve à un amour manqué dans le tramway :

> Le tramway traîne une mélodie dans ses roues
> Et une chevelure de lumière
> Les étincelles de celle qui passe par la portière
> Ses yeux sont tombés sur le rail[1]

Le motif du voyage crée donc une continuité entre les poètes contemporains et leurs illustres prédécesseurs, qui expriment le même désir d'ailleurs et le même sentiment de nostalgie.

La révolution formelle : la diversité des poésies contemporaines

La libération et le renouvellement des thèmes ne va pas sans une révolution formelle. Pour s'adapter aux sujets contemporains, la forme doit se transformer tout autant que le fond et correspondre à la modernité. Les règles contraignantes de la poésie classique, qui n'ont eu de cesse d'être détournées depuis Baudelaire, sont de plus en plus mises à mal. Les formes fixes de la poésie française traditionnelle, le rondeau, la ballade ou l'ode, sont abandonnées ou radicalement réinventées. Seul le sonnet continue d'être utilisé, par exemple par Queneau, mais de façon distanciée et humoristique.

Cependant, le vers libre et le poème en prose s'imposent dans la création poétique. Dès les surréalistes, la poésie atteste qu'elle peut se passer des vers canoniques (octosyllabes, décasyllabes, alexandrins, etc.), mais également des strophes et de

---

1. Pierre Reverdy, « Stop », *Œuvres complètes*, Flammarion, coll. « Mille et une pages », 2010.

la rime. Les vers ne disparaissent pas toujours, mais ne respectent plus les codes traditionnels. Ils peuvent s'allonger jusqu'à seize ou dix-huit syllabes, ou prendre la forme de versets[1], comme chez Senghor. Si Apollinaire ou Aragon continuent d'utiliser les rimes, ils s'amusent à en varier les usages. C'est également le cas de Queneau, qui va jusqu'à fractionner les mots pour en faire rimer les fragments :

> Quand les poètes s'ennuient alors il leur ar–
> Rive de prendre une plume et d'écrire un po–
> Ème on comprend dans ces conditions que ça bar–
> Be un peu quelquefois la poésie la po–
> Ésie[2]

Non contente de se démarquer des strophes classiques à longueur régulière, la disposition des vers adopte des formes inédites. Les mots deviennent un matériau à part entière qui ne saurait s'encombrer de métrique, de grammaire ou de lexique imposés. Les poètes abandonnent la ponctuation au profit d'espaces et de blancs significatifs et parfois très importants (chez Guillevic ou Cendrars, par exemple). L'écriture se rapproche de l'idéogramme ou du dessin. Apollinaire réinvente le calligramme, poème où la disposition des mots forme une image, invitant à une double lecture, littéraire et picturale. De même, le poète surréaliste Breton compose des poèmes-dessins et des poèmes-collages, instaurant une complicité originale entre littérature et arts plastiques. À l'instar de tableaux contemporains, il n'est pas rare que les poèmes ne possèdent plus de titre.

---

1. ***Versets*** : vers brefs d'un chant religieux hébraïque, ou courts paragraphes divisant les chapitres de la Bible. En poésie moderne, il s'agit d'un vers, de longueur variable, ayant une unité de sens et de rythme. Il a été notamment utilisé par Paul Claudel et Henri Michaux (1899-1984).

2. Raymond Queneau, « Art poétique – VII », *L'Instant fatal*, Gallimard, coll. « Poésie », 1966, v. 1-5.

En réalité, les poètes contemporains trouvent dans le travail sur la matérialité des mots un accès à la matérialité, concrète, des choses. C'est pourquoi les règles de la syntaxe sont également bouleversées. Les poèmes en prose n'ont d'autre logique que le rythme et que la libre association d'idées et de sons. Le genre poétique se mélange avec les autres formes de discours : discours narratif chez Michaux, discours descriptif, voire explicatif chez Ponge. L'enjeu de ces innovations formelles consiste à trouver un équivalent poétique à un monde en pleine mutation, un mode d'expression capable de dire la modernité.

La poésie porteuse d'un nouveau regard sur le monde

À quoi bon encore des poètes?

«Je veux être poète, et je travaille à me rendre *voyant*[1].» Telle est la définition de l'acte poétique que donnait Arthur Rimbaud : loin de se limiter à sa propre subjectivité, le poète s'ouvre sur le monde, porte un regard éclairant sur ce qui l'entoure et en déchiffre les signes les plus énigmatiques. Cependant, à la suite des deux guerres mondiales, les poètes contemporains sont en devoir de réinterroger le rôle de leur art. À quoi bon faire de la poésie et célébrer la beauté, après de tels traumatismes et drames humains? Le poète doit-il se réfugier dans le langage et

1. Rimbaud, «Lettre à Georges Izambard», *Poésies*, éd. citée.

n'avoir d'autre but que les mots en eux-mêmes, ou la poésie a-t-elle pour mission de se tourner vers le monde qu'elle habite ? Les auteurs contemporains ne semblent pas trancher entre ces deux voies.

Des poètes comme Queneau et Ponge prennent pour premier objet de la poésie la poésie elle-même, dans un processus d'autoréférence. Pourtant, de manière générale et contrairement au XIXe siècle, le poète n'est plus cet être sacré et maudit, condamné à la solitude tant il se sent étranger aux autres et au monde. Nombre de poètes exercent un métier ordinaire (René-Guy Cadou [1920-1951] est instituteur, Guillevic a travaillé pour le ministère des Finances), certains occupent même une fonction politique (Senghor a été président du Sénégal). Ils vivent désormais ancrés dans leur époque. Le lyrisme, autrement dit l'expression exaltée des sentiments individuels, laisse la place à une vision : le poète porte un regard sur le monde, en partie objectif, en ce qu'il a l'ambition de révéler la réalité, et en partie subjectif, car il exprime un parti pris personnel.

Transformer notre vision du monde

Dire que le regard poétique est subjectif ne signifie aucunement que l'auteur se replie sur soi-même et sur ses émotions, bien au contraire. Armé des mots, le poète contemporain s'emploie à une lecture éclairée et sensible de la société. C'est de l'intérieur du monde, parmi ses semblables, et non en position de retrait, qu'il observe et critique son temps. Lorsque Queneau révèle la vanité du « Grand standigne » moderne, quand Vian dénonce le bouleversement des relations humaines dans « La Complainte du progrès », ou que les chanteurs à texte comme Brassens ou Gainsbourg révèlent l'hypocrisie de notre société, ils font œuvre d'une poésie engagée, non dénuée d'humour, où le jeu verbal donne aussi à réfléchir.

Une même visée demeure pour les poètes de toutes les époques : toucher le lecteur par le pouvoir magique des mots. Les images les plus déconcertantes, exprimées dans une forme rythmique et musicale renouvelée, doivent pouvoir trouver un écho dans notre imaginaire. Le lecteur est alors incité à une ouverture sur le monde, à une relecture de ce qu'il n'a cessé de voir sans le regarder. On peut ainsi résumer l'objectif des poésies contemporaines : bouleverser durablement notre vision de la réalité.

Comme le dit Guillevic dans son *Art poétique*, si le poème est un miroir, le reflet poétique agit en retour sur ce qu'il réfléchit. En effet, le prisme poétique nous donne à voir l'univers différemment ; le lecteur est amené à « prendre parti » pour le monde tel que la poésie le décrit, à le voir en permanence sous cet angle et à transformer radicalement sa perception. Arraché à ses habitudes, aux confortables préjugés qu'il s'était forgés sur notre époque, notre regard se défait et se reconstruit au rythme et au fil de la poésie des choses.

CHRONOLOGIE

- Repères historiques et culturels
- La poésie au XXe siècle

Repères historiques et culturels

1909	Inauguration de Port-Aviation, le premier aérodrome en région parisienne. Pour la première fois, un aéroplane vole au-dessus de Paris. Robert Delaunay, *La Tour Eiffel*.
1913	Marc Chagall, *Paris par la fenêtre*.
1914-1918	Première Guerre mondiale.
1914	Giorgio De Chirico, *Gare Montparnasse*. Apparition des premières machines à écrire électriques.
1916	Pablo Picasso, *Les Demoiselles d'Avignon*.
1917	Marcel Duchamp, *Fontaine*.
1917-1921	Révolution russe.
1919	Fernand Léger, *La Ville*.
1920	Apparition des premiers réfrigérateurs dans les foyers. Développement du téléphone.
1921	Début de la radiodiffusion en France.
1922	Marche sur Rome de Benito Mussolini. Début du régime fasciste en Italie. Robert Delaunay, *Le Poète Philippe Soupault*.

La poésie au XXe siècle

1913 Blaise Cendrars, *La Prose du Transsibérien et de la petite Jehanne de France*; *Dix-neuf poèmes élastiques*.
Valery Larbaud, *A. O. Barnabooth*.
Guillaume Apollinaire, *Alcools*.

1915 Engagé volontaire pendant la guerre, Blaise Cendrars est gravement blessé et doit être amputé de la main droite.

1916 Engagé volontaire également, Guillaume Apollinaire est blessé d'un éclat d'obus dans le crâne.
Pierre Reverdy, *Quelques poèmes*.

1918 Guillaume Apollinaire, *Calligrammes*. Le poète succombe à la grippe espagnole.

1919 André Breton et Philippe Soupault écrivent *Les Champs magnétiques*, publiés en 1920.
Blaise Cendrars, «Les Pâques à New York».
Jean Cocteau, *Ode à Picasso*.

1924 André Breton, *Manifeste du surréalisme*.
Blaise Cendrars, *Feuilles de route*.

1926 Paul Eluard, *Capitale de la douleur*.
Paul Claudel, *Idéogrammes occidentaux*.

Repères historiques et culturels

1927	Début du cinéma parlant. Fritz Lang, *Metropolis*.
1928	René Magritte, *Le Faux Miroir*.
1929	Crise économique.
1931	Pablo Picasso, *Grande nature morte au guéridon*.
1933	Prise de pouvoir d'Adolf Hitler en Allemagne. Brassaï, *Allumeur de réverbères*.
1936-1939	Guerre d'Espagne entre les républicains et les partisans du général Franco. Ceux-ci, vainqueurs, installent une dictature.
1937	Raoul Dufy, *La Fée Électricité*. Paul Klee, *Port et voiliers*.
1938	Salvador Dalí, *Le Téléphone aphrodisiaque*.
1939	Début de la Seconde Guerre mondiale.
1940	Défaite de l'armée française. Les Allemands occupent une partie de la France, avec l'accord du maréchal Pétain et du gouvernement de Vichy. Appel à la Résistance du général Charles de Gaulle, à Londres.
1942	Edward Hopper, *Nighthawks Painting*.

La poésie au XXe siècle

1929 Henri Michaux, *Ecuador*, récit d'un voyage dans les Andes, en Équateur et au Brésil.

1932 André Breton, *Les Vases communicants.*

1939 Aimé Césaire, *Cahier d'un retour au pays natal.*

1941 Naissance de l'École de Rochefort, contre-école poétique à rebours de la censure du gouvernement de Vichy. Son but est d'engager à la pleine liberté poétique aussi bien dans le fond que dans la forme.

1942 Louis Aragon, *Les Yeux d'Elsa*. Aragon se détache du surréalisme pour pratiquer une poésie engagée. Il adhère au parti communiste, avec lequel il organise le comité des écrivains de zone occupée (Front national des écrivains), rejoint notamment par Paul Eluard.
Paul Eluard, *Poésie et Vérité.*
Francis Ponge, *Le Parti pris des choses*, recueil de poèmes en prose.
Guillevic, *Terraqué.*
Robert Desnos, *Fortunes.*
Desnos adhère au réseau de résistance «Agir».

1943 Jean Follain, *Usage du temps.*
René Char écrit *Feuillets d'Hypnos* alors qu'il est résistant. Le recueil est publié en 1946.
Robert Desnos, «Ce cœur qui haïssait la guerre», poème paru dans le recueil collectif *L'Honneur des poètes.*

Repères historiques et culturels

1944	Débarquement des Alliés en Normandie.
1945	Fin de la Seconde Guerre mondiale : victoire des Alliés sur l'Allemagne, l'Italie et le Japon. Pablo Picasso, *La Casserole émaillée*.
1945-1973	Les Trente Glorieuses, période de prospérité économique en Europe.
1946	Début de la IVe République en France.
1946-1954	Guerre d'Indochine.
1950	Robert Doisneau, *Les Quatre Saisons*.
1950-1953	Guerre de Corée.
1954-1962	Guerre d'Algérie.
1956-1960	Décolonisation de l'Afrique noire.
1958	Début de la Ve République. Charles de Gaulle, président de la République.
1959	Henri Michaux, *Peinture à l'encre de Chine n° 2*.
1961	Arman, *Poubelle des Halles*.
1962	César, *Ensemble de télévision*. Andy Warhol, *Campbell's Soup Cans*; *Diptyque Marilyn*.
1964	Roy Lichtenstein, *Hot-dog*.
1964-1975	Guerre du Viêtnam.

La poésie au XXe siècle

1944 Henri Michaux, *L'Espace du dedans.*

1945 René-Guy Cadou, *Hélène ou le Règne végétal.*
Mort de Robert Desnos dans un camp de concentration.

1946 Jacques Prévert, *Paroles.*
René-Guy Cadou, *Pleine poitrine.*

1947 Guillevic, *Exécutoire.*

1948 Raymond Queneau, *L'Instant fatal.*
Henri Michaux, *Ailleurs.*
Jules Supervielle, *Oublieuse mémoire.*

1955 Boris Vian chante «La Complainte du progrès» aux Trois Baudets à Paris.

1956 Léopold Sédar Senghor, *Éthiopiques.*
Louis Aragon, *Le Roman inachevé.*

1960 Naissance de l'OuLiPo.

1961 Raymond Queneau, *Cent mille milliards de poèmes.*

1962 Francis Ponge, *Pièces.*

1963 Guillevic, *Sphère.*

Repères historiques et culturels

1967	Apparition de la télévision en couleurs en France.
1968	Mai 68 : manifestations étudiantes et ouvrières.
1969	Premiers pas de l'homme sur la Lune. Georges Pompidou, président de la République.
1974	Mort de Georges Pompidou. Valéry Giscard d'Estaing, président de la République.
1980-1988	Guerre Iran-Irak.
1981-1995	François Mitterrand, président de la République.
1986	Raymond Depardon, *New York*.
1989	Chute du mur de Berlin.
1990-1991	Guerre du Golfe, entre les États-Unis et l'Irak.
1991	Dislocation de l'URSS. Abolition de l'Apartheid en Afrique du Sud. Début de la révolution Internet.
1991-2001	Guerres de Yougoslavie.
1994	Génocide du peuple tutsi au Rwanda.
1995-2007	Jacques Chirac, président de la République.

La poésie au XXe siècle

1967 Guillevic, *Euclidiennes.*
Raymond Queneau, *Courir les rues.*

1968 Raymond Queneau, *Battre la campagne.*

1970 Robert Desnos, *Chantefables et chantefleurs* (publication posthume).

1974 Georges Perec, *Espèces d'espaces.*

1977 Jacques Réda, *Les Ruines de Paris.*

1979 Andrée Chedid, *Fêtes et Lubies.*

1982 Jacques Réda, *Hors les murs.*

1983 Renaud, *Morgane de toi* (album).

1989 Guillevic, *Art poétique.*

1990 Jacques Réda, *Le Sens de la marche.*

1991 Andrée Chedid, *Poèmes pour un texte (1970-1991).*

1998 Jacques Réda, *Le Citadin.*

1999 Jacques Roubaud, *La forme d'une ville change plus vite, hélas, que le cœur des humains.*
Dominique A., *Remué* (album).

Repères historiques et culturels

2001 Attentat du 11-Septembre.

2007 Nicolas Sarkozy, président de la République.

La poésie au XXe siècle

2000 Jacques Jouet, *Poèmes de métro.*

2009 Jacques Réda, *La Physique amusante.*

Le Parti pris du monde

22 poèmes contemporains

© BHVP / Roger-Viollet

■ Guillaume Apollinaire.

Fonds Hélène Cadou.

■ René-Guy Cadou.

© Marion Kalter / Opale

■ Eugène Guillevic.

I

LE MIROIR DE LA POÉSIE CONTEMPORAINE

Guillaume Apollinaire, *Calligrammes*, 1918

« Guillaume Apollinaire » : tel est le pseudonyme que prend le poète Wilhelm Apollinaris de Kostrowitzky (1880-1918), d'origine polonaise et italienne. Tout en rappelant le prénom de son grand-père, Apollinaris, ce nom de plume fait référence à Apollon, dieu grec de la poésie. Amateur d'art cubiste, Apollinaire fréquente de nombreux peintres, dont Pablo Picasso (1881-1973) et Georges Braque (1882-1963). Lorsque éclate la Première Guerre mondiale, il s'engage dans l'armée française. Il est blessé par un éclat d'obus en 1916 et meurt en 1918, peu après l'armistice qui met fin à la Grande Guerre, lors d'une grave épidémie de grippe. Apollinaire est aujourd'hui célèbre pour ses deux recueils principaux, *Alcools* (publié en 1913) et *Calligrammes, poèmes de la paix et de la guerre* (publié en 1918).
L'œuvre d'Apollinaire ouvre la voie au renouveau de la poésie moderne : au-delà de ses poèmes en vers libres (voir « Zone », p. 76), le poète associe écriture et peinture en réinventant le calligramme. Il s'agit de dessins formés par la disposition des mots sur la page. Dans ce texte en forme de miroir, Apollinaire illustre le rôle de la poésie comme reflet authentique du monde et du poète : l'écriture poétique donne accès au sens véritable des êtres.

Cœur, couronne et miroir

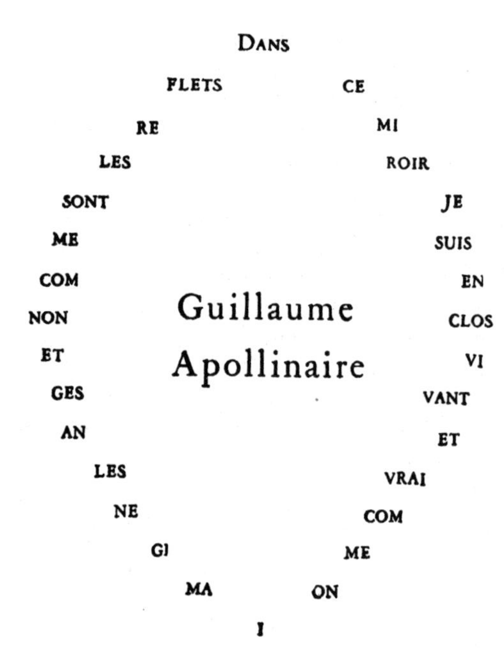

Guillaume Apollinaire, «Cœur, couronne et miroir», *Calligrammes, poèmes de la paix et de la guerre*, GF-Flammarion, 2013.

Le calligramme

Un calligramme est un poème où la disposition des mots forme un dessin. Le plus souvent, ce dessin est en rapport avec le sujet du poème. Si les calligrammes existent dès l'Antiquité et chez François Rabelais à la Renaissance, c'est Guillaume Apollinaire qui les remet à l'honneur au début du XXe siècle. Le poète invente le terme « calligramme », mot-valise formé à partir de « calligraphie » (écriture formée avec art) et d'« idéogramme » (signe qui correspond à un mot dans certaines écritures, comme dans l'écriture chinoise par exemple). Littéralement, les calligrammes désignent donc une belle écriture, visuelle et pleine de sens. On parle également de poésie graphique ou de poème-dessin.
Les calligrammes d'Apollinaire intitulés « La Colombe poignardée et le Jet d'eau » et « La Cravate et la Montre » sont parmi les plus célèbres. Par la suite, ce type de poèmes sera pratiqué par les surréalistes (voir encadré suivant) et par l'écrivain Michel Leiris (1901-1990). ■

Le surréalisme

Mouvement littéraire et artistique de la première moitié du XXe siècle, le surréalisme met en valeur les mécanismes inconscients (rêves, associations d'idées...) pour donner lieu à des créations originales et surprenantes. Leur écriture se fonde sur un principe : laisser libre cours à son imagination, sans faire intervenir la réflexion. Selon les surréalistes, on ne trouve sa véritable force créatrice qu'en coupant court à la logique et à toute contrainte formelle ou morale.
Le courant surréaliste naît en 1924, avec la parution du *Manifeste du surréalisme* d'André Breton (1896-1966). Parmi les premiers représentants de ce mouvement, on compte des poètes (Louis Aragon, Paul Eluard, Philippe Soupault, Pierre Reverdy) mais également des artistes (Max Ernst, Salvador Dalí, René Magritte, Juan Miró).
Les surréalistes s'adonnent à des jeux sur l'écriture pour gagner en liberté et en surprise. Ils inventent « l'écriture automatique », sorte d'improvisation sans contrainte, au fil de la plume. Le « cadavre exquis » est également un jeu d'écriture collective pratiqué par les surréalistes : chaque participant note un élément de phrase sans prendre connaissance de ce qui a déjà été écrit par les autres participants. On obtient ainsi une phrase au sens surprenant. ■

■ Guillevic, *Art poétique*, 1989

Eugène Guillevic (1907-1997) mène une double carrière de fonctionnaire au ministère des Finances et de poète politiquement engagé, notamment aux côtés des républicains espagnols et du parti communiste français. C'est dans ce même esprit d'engagement qu'il participe à l'École de Rochefort (voir p. 47). Proche de Paul Eluard (1895-1952), Guillevic publie plusieurs recueils de poèmes, dont *Terraqué* et *Exécutoire*. Il reçoit le prix Goncourt de la poésie en 1988. Il signe ses poèmes de son seul patronyme.

En 1989, le poète fait paraître un ouvrage intitulé *Art poétique*, qui s'inscrit dans une tradition littéraire très ancienne. Un « art poétique » est un texte exposant un ensemble de critères envisagés comme un moyen de parvenir à la beauté. Les plus célèbres de ces écrits sont les poèmes de Nicolas Boileau (1636-1711) et de Paul Verlaine (1844-1896). L'*Art poétique* de Boileau, en 1674, privilégie la rigueur et la clarté dans l'expression : « Ce que l'on conçoit bien s'énonce clairement/ Et les mots pour le dire arrivent aisément » (chant I, v. 153-154). Publié dans *Jadis et naguère* en 1884, l'« Art poétique » de Paul Verlaine donne la priorité à la musicalité des mots : « De la musique avant toute chose » (v. 1).

De son côté, Guillevic prend acte de la modernité poétique en proposant une disposition typographique originale : son long poème est composé de distiques, séparés par de nombreux blancs, ce qui rapproche chaque strophe de l'aphorisme[1]. Comme Apollinaire, Guillevic médite sur la poésie comme moyen de connaître le monde, mais aussi de se connaître soi-même. Le poète et l'univers jouent alors à un étrange jeu de miroirs : si le poète décrit l'univers tel qu'il le voit, l'univers finit par ressembler au reflet que la poésie en propose.

Si j'écris, c'est disons
Pour ouvrir une porte.

Le plus curieux :
J'ignore 4

À quel moment se fait
Cette ouverture.

---

1. ***Aphorisme*** : formule courte exprimant une idée.

– D'ailleurs, ce qui se lève
8 C'est peut-être un rideau.

*

Quand j'écris,
C'est comme si les choses,

Toutes, pas seulement
12 Celles dont j'écris,

Venaient vers moi
Et l'on dirait et je crois

Que c'est
16 Pour se connaître.

[...]

Dans le poème
On peut lire

Le monde comme il apparaît
20 Au premier regard.

Mais le poème
Est un miroir

Qui offre d'entrer
24 Dans le reflet

Pour le travailler,
Le modifier.

– Alors le reflet modifié
28 Réagit sur l'objet
Qui s'est laissé refléter.

Avec la lune,
Avec la lande[1],

32 Jouer à : je suis,
Je ne suis pas
Ton miroir.

Guillevic, *Art poétique*, © Gallimard, coll. «Poésie», 1989.

L'École de Rochefort

Lors de l'Occupation, le régime collaborationniste de Vichy censure sévèrement la presse et la littérature, au profit d'une poésie de propagande, nationale et conformiste. À partir de 1941, des poètes réagissent à ces interdits en formant «l'École de Rochefort», du nom de la ville de Rochefort-sur-Loire dont est originaire son fondateur principal, le poète Jean Bouhier. L'École de Rochefort rassemble une trentaine d'écrivains et amis, parmi lesquels Jean Follain et Guillevic. Son but est de favoriser la liberté artistique de chaque auteur, sans lui imposer des règles d'écriture communes, et de prôner l'humanisme. Cofondateur du mouvement avec Michel Manoll et Guy Bigot, le poète René-Guy Cadou décrit cette école comme «une cour de récréation» plus que comme un courant littéraire au sens strict. ■

■ René-Guy Cadou, *Hélène ou le Règne végétal*, 1945

Né en Loire-Atlantique et fils d'instituteurs, René-Guy Cadou (1920-1951) écrit des vers dès sa jeunesse. Il envoie ses premiers

1. ***Lande*** : terre déserte, non cultivée.

textes au poète Max Jacob (1876-1944), qui reconnaît son talent. Réformé pour raison de santé pendant la Première Guerre mondiale, Cadou devient ensuite instituteur et épouse Hélène Laurent (née en 1922), également poète.
En 1941, sous l'Occupation, l'écrivain croise le chemin de trois camions allemands qui transportent des otages français ; ces vingt-sept prisonniers seront fusillés quelques instants plus tard. Ce tragique épisode détermine Cadou à soutenir la Résistance et à dénoncer la barbarie nazie, notamment dans son recueil *Pleine poitrine*, ses poèmes « Ravensbrück » et « Les Fusillés de Châteaubriant ». Il est aussi l'un des fondateurs de l'École de Rochefort[1].
Instituteur itinérant dans de nombreux villages, Cadou trouve dans le spectacle de la nature sa principale source d'inspiration, ce qui est particulièrement sensible dans son recueil *Hélène ou le Règne végétal* (publié en 1945). Au sein de cet ouvrage, « Celui qui entre par hasard » dépeint la magie évocatrice de la poésie : le poète a le pouvoir de révéler la part mystérieuse de ce qui nous entoure.

Celui qui entre par hasard

Celui qui entre par hasard dans la demeure d'un poète
Ne sait pas que les meubles ont pouvoir sur lui
Que chaque nœud du bois renferme davantage
De cris d'oiseaux que tout le cœur de la forêt
5 Il suffit qu'une lampe pose son cou de femme
À la tombée du soir contre un angle verni
Pour délivrer soudain mille peuples d'abeilles
Et l'odeur de pain frais des cerisiers fleuris

1. Voir p. 47.

Car tel est le bonheur de cette solitude
10 Qu'une caresse toute plate de la main
Redonne à ces grands meubles noirs et taciturnes[1]
La légèreté d'un arbre dans le matin.

René-Guy Cadou, «Celui qui entre par hasard»,
Hélène ou le Règne végétal [1945], © Pierre Seghers, 2007.

---

1. ***Taciturnes*** : qui se taisent.

■ Jean Follain.

■ Francis Ponge.

■ Raymond Queneau.

■ Boris Vian.

II

LA POÉSIE DES CHOSES ORDINAIRES : CONTEMPLATION ET DÉNONCIATION

A. La poésie de la quincaillerie[1]

■ Jean Follain, *Usage du temps*, 1943

Poète français né à Canisy, dans la Manche, Jean Follain (1903-1971) exerce le métier d'avocat à Paris. En parallèle de sa carrière juridique, il fréquente les milieux littéraires et se consacre à l'écriture poétique. Auteur de nombreux recueils, dont *Usage du temps* en 1943, il reçoit le grand prix de poésie de l'Académie française en 1970 pour l'ensemble de son œuvre.
Le poème « Quincaillerie » est révélateur de la place privilégiée qu'occupe l'objet ordinaire, quotidien, dans la poésie contemporaine. Ici, dans une évocation mobilisant aussi bien la vue que l'odorat ou le toucher, une banale quincaillerie de province se transforme en une sorte de navire sacré.

Quincaillerie

Dans une quincaillerie de détail en province
des hommes vont choisir

1. ***Quincaillerie*** : commerce qui vend des outils, du matériel de bricolage et des ustensiles ménagers.

des vis et des écrous
et leurs cheveux sont gris et leurs cheveux sont roux
5 ou roidis[1] ou rebelles.
La large boutique s'emplit d'un air bleuté,
dans son odeur de fer
de jeunes femmes laissent fuir
leur parfum corporel.
10 Il suffit de toucher verrous et croix de grilles
qu'on vend là virginales[2]
pour sentir le poids du monde inéluctable[3].

Ainsi la quincaillerie vogue vers l'éternel
et vend à satiété[4]
15 les grands clous qui fulgurent[5].

Jean Follain, «Quincaillerie», *Usage du temps*,
© Gallimard, coll. «Poésie», 1943.

---

1. ***Roidis*** : raidis.
2. ***Virginales*** : pures, pas encore utilisées.
3. ***Inéluctable*** : inévitable.
4. ***À satiété*** : jusqu'à que l'on soit rassasié.
5. ***Fulgurent*** : brillent comme la foudre.

Le poème en prose

La prose désigne tout texte qui n'est pas écrit en vers, contrairement à la poésie traditionnelle française, écrite en vers rimés. Cependant, on peut appeler « poème en prose » un texte caractérisé par sa musicalité (allitérations, assonances, rythme, figures de répétition, etc.) et ses images poétiques (lexique recherché, comparaisons et métaphores, personnifications, etc.), tout en empruntant sa disposition typographique à la prose (paragraphes, alinéas). Le plus souvent, il s'agit de poèmes brefs.
On date de 1842 l'apparition des premiers poèmes en prose, dans le recueil *Gaspard de la nuit* d'Aloysius Bertrand (1807-1841). Cette forme se développe avec les *Petits poèmes en prose* (1855) de Charles Baudelaire (voir dossier, p. 128), mais également *Les Chants de Maldoror* du comte de Lautréamont et *Illuminations* d'Arthur Rimbaud. Les surréalistes et les poètes de la modernité tels René Char, Henri Michaux et Francis Ponge en feront un usage intensif : à leurs yeux, le poème en prose permet aussi bien de décrire le monde de l'imaginaire et du rêve que de sublimer le quotidien.
Exemples : Francis Ponge, « L'Huître », p. 56, Aimé Césaire, extrait de *Cahier d'un retour au pays natal*, p. 86, Charles Baudelaire, « L'Invitation au voyage », p. 128. ■

■ Francis Ponge, *Le Parti pris des choses*, 1942

Francis Ponge (1899-1988) écrit ses premiers poèmes à l'âge de quinze ans. En 1941, il entre dans la Résistance et participe à des publications clandestines. L'année suivante, paraît son premier grand recueil de poèmes en prose, *Le Parti pris des choses*. Il reçoit le grand prix national de la poésie du ministère de la Culture en 1981 et le grand prix de poésie de l'Académie française en 1984.
« L'Huître » fait partie des poèmes-définitions publiés dans *Le Parti pris des choses* (comme « Le Cageot », « La Bougie », « L'Escar-

got», etc.). En rupture avec la poésie lyrique, qui privilégie l'expression exaltée des sentiments du poète, Ponge choisit de se consacrer aux objets les plus quotidiens. Derrière leur matérialité se cache un sens profond, que l'auteur dévoile dans de singuliers poèmes en prose. Tout en paraissant opter pour un ton neutre et objectif, Ponge nous livre sa propre vision des choses, son propre «parti pris».

L'Huître

L'huître, de la grosseur d'un galet moyen, est d'une apparence plus rugueuse, d'une couleur moins unie, brillamment blanchâtre. C'est un monde opiniâtrement[1] clos. Pourtant on peut l'ouvrir : il faut alors la tenir au creux d'un torchon, se servir
5 d'un couteau ébréché[2] et peu franc, s'y reprendre à plusieurs fois. Les doigts curieux s'y coupent, s'y cassent les ongles : c'est un travail grossier[3]. Les coups qu'on lui porte marquent son enveloppe de ronds blancs, d'une sorte de halo[4].

À l'intérieur l'on trouve tout un monde, à boire et à manger :
10 sous un *firmament*[5] (à proprement parler) de nacre, les cieux d'en dessus s'affaissent sur les cieux d'en dessous, pour ne plus former qu'une mare, un sachet visqueux[6] et verdâtre, qui flue et reflue[7] à l'odeur et à la vue, frangé d'une dentelle noirâtre sur les bords.

---

1. ***Opiniâtrement*** : avec obstination.
2. ***Ébréché*** : dont la lame est abîmée.
3. ***Grossier*** : qui n'est pas délicat.
4. ***Halo*** : cercle brillant.
5. ***Firmament*** : voûte céleste sur laquelle apparaissent les étoiles ; étymologiquement, appui, soutien.
6. ***Visqueux*** : gluant, qui colle aux doigts.
7. ***Reflue*** : coule en sens contraire.

15 Parfois très rare une formule[1] perle à leur gosier[2] de nacre, d'où l'on trouve aussitôt à s'orner[3].

Francis Ponge, « L'Huître », *Le Parti pris des choses*,
© NRF-Gallimard, 1942.

■ Guillevic, *Sphère*, 1963

Comme Francis Ponge, Guillevic[4] exprime son attachement pour les choses concrètes. Il emploie son écriture poétique à toucher directement la matérialité des objets. Dans le poème « Un marteau », extrait du recueil *Sphère* (publié en 1963), Guillevic s'adresse à l'outil comme à un être vivant ; les mots y sont tour à tour un moyen de dire les choses et une barrière qui les sépare du poète, celui-ci cherchant à traduire le silence des objets.

Un marteau

Fait pour ma main,
Je te tiens bien.
Je me sens fort
De notre force.

5 Tu dors longtemps,
Tu sais le noir,
Tu as sa force.

Je te touche et te pèse,
Je te balance,
10 Je te chauffe au creux de ma main.

---

1. ***Formule*** : ici, petite forme ; au sens courant, expression brève.
2. ***Gosier*** : arrière de la gorge, d'où vient la voix.
3. ***S'orner*** : se parer.
4. Sur Guillevic, voir p. 44.

Je remonte avec toi
Dans le fer et le bois

Tu me ramènes,
Tu veux
15 T'essayer,
Tu veux frapper.

Guillevic, «Un marteau», *Sphère*, © Gallimard, coll. «Poésie», 1963.

La modalisation :
le vocabulaire péjoratif et mélioratif

Le terme « modalisation » désigne l'attitude du locuteur par rapport à ce qu'il dit ou écrit. À propos d'un objet, d'un être ou d'un événement, on peut choisir de fournir une description objective et neutre, ou bien d'exprimer ses sentiments personnels et sa propre vision des choses, de manière subjective.
Lorsque le locuteur exprime un jugement, il peut donner une appréciation positive et valorisante (il utilisera des termes mélioratifs, du latin *melior*, qui signifie « meilleur ») ou marquer sa désapprobation en donnant une appréciation négative et dévalorisante (il emploiera des termes péjoratifs, du latin *pejor*, qui signifie « pire »).
Par ce vocabulaire évaluatif, l'énonciateur vise à partager son opinion avec son destinataire et à le persuader d'adopter son jugement de valeur.
On pourra donner une valeur négative à des mots neutres en leur ajoutant un suffixe péjoratif : *-âtre*, *-asse*, *-ard*, *-aille*, *-aud*...
Exemples : chauffard, bavasser, « blanchâtre » (Francis Ponge, « L'Huître », p. 56)...
À l'inverse, le suffixe *-issime* est mélioratif. Exemple : richissime.
Pour valoriser un terme, on peut également y ajouter des préfixes qui expriment l'importance ou l'intensité, comme *extra-*, *super-*, etc.
Exemples : extraordinaire, « ultravitre » (Raymond Queneau, « Grand standigne », p. 65)... ■

B. La complainte du progrès

■ Boris Vian, « La Complainte du progrès », 1956

Quoique ingénieur de formation, Boris Vian (1920-1959) bifurque vers la littérature et les arts. Il devient à la fois roman-

cier (il publie *L'Écume des jours* en 1947 et *L'Herbe rouge* en 1950), poète, chroniqueur, parolier et trompettiste de jazz. Habitué du quartier parisien de Saint-Germain-des-Prés, il y rencontre les philosophes Jean-Paul Sartre (1905-1980) et Simone de Beauvoir (1908-1986), ainsi que la chanteuse Juliette Gréco (née en 1927) et le musicien de jazz Miles Davis (1926-1991). Les chansons qu'il compose, aussi bien pour lui que pour d'autres artistes, jouent souvent sur la provocation et déclenchent des scandales (« Le Déserteur », chanson antimilitariste, est interdite de diffusion à la radio).
C'est en 1955 que Boris Vian chante « La Complainte du progrès », dans la salle de concert Les Trois Baudets, à Paris. Le public se montre perplexe, à l'exception de Georges Brassens et de Léo Ferré[1], qui furent parmi les premiers admirateurs de l'artiste. Dans cette chanson, celui-ci dénonce la dégradation des relations amoureuses, désormais asservies à la société de consommation.

Autrefois pour faire sa cour
On parlait d'amour
Pour mieux prouver son ardeur[2]
On offrait son cœur
5 Maintenant c'est plus pareil
Ça change ça change
Pour séduire le cher ange
On lui glisse à l'oreille

Ah Gudule, viens m'embrasser, et je te donnerai…

---

1. ***Georges Brassens*** (1921-1981) : auteur, compositeur et interprète français. ***Léo Ferré*** (1916-1993) : auteur, compositeur et interprète franco-monégasque.
2. ***Son ardeur*** : sa passion amoureuse.

10 Un frigidaire, un joli scooter, un atomixer[1]
Et du Dunlopillo[2]
Une cuisinière, avec un four en verre
Des tas de couverts et des pelles à gâteau!
Une tourniquette pour faire la vinaigrette
15 Un bel aérateur pour bouffer les odeurs
Des draps qui chauffent
Un pistolet à gaufres
Un avion pour deux...
Et nous serons heureux!

20 Autrefois s'il arrivait
Que l'on se querelle
L'air lugubre[3] on s'en allait
En laissant la vaisselle
Maintenant que voulez-vous
25 La vie est si chère
On dit : «rentre chez ta mère»
Et on se garde tout

Ah Gudule, excuse-toi, ou je reprends tout ça...

Mon frigidaire, mon armoire à cuillers
30 Mon évier en fer, et mon poêle à mazout
Mon cire-godasses, mon repasse-limaces
Mon tabouret-à-glace et mon chasse-filous!
La tourniquette, à faire la vinaigrette
Le ratatine-ordures et le coupe-friture
35 Et si la belle se montre encore rebelle
On la ficelle dehors, pour confier son sort...

---

1. ***Atomixer*** : mot-valise inventé par Boris Vian, composé des mots «atomiseur» et «mixeur».
2. ***Dunlopillo*** : marque de matelas.
3. ***Lugubre*** : sombre.

Au frigidaire, à l'efface-poussière
À la cuisinière, au lit qu'est toujours fait
Au chauffe-savates, au canon à patates
40 À l'éventre-tomates, à l'écorche-poulet !

Mais très vite
On reçoit la visite d'une tendre petite
Qui vous offre son cœur

Alors on cède
45 Car il faut qu'on s'entraide
Et l'on vit comme ça jusqu'à la prochaine fois
Et l'on vit comme ça jusqu'à la prochaine fois
Et l'on vit comme ça jusqu'à la prochaine fois

«La Complainte du progrès», paroles de Boris Vian,
musique d'Alain Goraguer,

■ Francis Ponge, *Pièces*, 1962

Dans son recueil de poèmes en prose publié en 1962, *Pièces*, Ponge se montre attentif à la sonorité et à l'aspect visuel des mots. Plus que de simples outils de langage, les mots sont envisagés dans leur ressemblance naturelle avec les objets qu'ils désignent. Dans le poème « L'Appareil du téléphone », une métaphore filée apparente un objet banal du quotidien, le téléphone, à un crustacé. Sur un ton humoristique, le poète, visionnaire, souligne à quel point ce drôle de homard finit par envahir la vie moderne. Une telle image rappelle *Le Téléphone aphrodisiaque* exposé par l'artiste Salvador Dalí en 1938.

L'Appareil du téléphone

D'un socle portatif à semelle de feutre[1], selon cinq mètres de fils de trois sortes qui s'entortillent sans nuire au son, une crustace[2] se décroche, qui gaîment bourdonne… tandis qu'entre les seins de quelque sirène sous roche, une cerise de métal vibre…
5 Toute grotte subit l'invasion d'un rire, ses accès[3] argentins, impérieux[4] et mornes[5], qui comporte cet appareil.

(Autre)

Lorsqu'un petit rocher, lourd et noir, portant son homard en anicroche, s'établit dans une maison, celle-ci doit subir l'invasion d'un rire aux accès argentins, impérieux et mornes. Sans doute est-ce celui de la mignonne sirène dont les deux seins sont en 5 même temps apparus dans un coin sombre du corridor, et qui produit son appel par la vibration entre les deux d'une petite cerise de nickel, y pendante.

Aussitôt, le homard frémit sur son socle. Il faut qu'on le décroche : il a quelque chose à dire, ou veut être rassuré par 10 votre voix.

D'autres fois, la provocation vient de vous-même. Quand vous y tente le contraste sensuellement agréable entre la légèreté du combiné et la lourdeur du socle. Quel charme alors d'entendre, aussitôt la crustace détachée, le bourdonnement gai 15 qui vous annonce prêtes au quelconque caprice de votre oreille

1. ***Feutre*** : tissu qui se trouvait sous le socle portant le téléphone.
2. ***Crustace*** : mot inventé, proche du mot « crustacé ».
3. ***Accès*** : crises soudaines.
4. ***Impérieux*** : impératifs, sur le ton de l'ordre.
5. ***Mornes*** : ternes.

les innombrables nervures[1] électriques de toutes les villes du monde !

Il faut agir le cadran mobile, puis attendre, après avoir pris acte de la sonnerie impérieuse qui perfore votre patient, le
20 fameux déclic qui vous délivre sa plainte, transformée aussitôt en cordiales ou cérémonieuses politesses… Mais ici finit le prodige et commence une banale comédie.

Francis Ponge, « L'Appareil du téléphone », *Pièces*,
© Gallimard, coll. « Poésie », 1962.

■ Raymond Queneau, *Courir les rues*, 1967

Raymond Queneau (1903-1976) fait figure de touche-à-tout original et fantaisiste. Il étudie la littérature, la philosophie et les mathématiques, travaille aux éditions Gallimard, exerce le métier de journaliste, écrit des chroniques, des paroles de comédies musicales, des dialogues de films, et devient poète. Si, entre 1924 et 1930, il participe au mouvement surréaliste, il s'en détache pour affirmer sa propre esthétique : rapprocher la littérature du langage parlé, en pratiquant l'invention verbale et l'humour. C'est dans cet esprit qu'il publie en 1947 *Exercices de style*, livre où le même événement est raconté dans une centaine de « styles » sérieux ou parodiques, et un roman qui rencontre le succès, *Zazie dans le métro* (publié en 1959). En 1960, avec François Le Lionnais (1901-1984), Queneau fonde l'OuLiPo (Ouvroir de littérature potentielle), un groupe de recherche qui vise à renouveler la littérature par l'expérimentation et l'écriture sous contrainte. Au cours de sa carrière poétique, Raymond Queneau fait paraître de nombreux recueils, dont *Courir les rues* et *Fendre les flots*.

---

1. ***Nervures*** : lignes apparentes.

Des regards et des voix

« Ce qui m'intéresse dans ce monde, c'est d'essayer de voir ce qu'il est vraiment, ce que nous sommes par rapport aux choses, ce que sont les choses par rapport à nous » (Guillevic, *Vivre en poésie*, 1980).

Depuis l'image du voyant célébrée par Rimbaud (voir présentation, p. 13), la poésie est devenue une question de regard. Le poète est celui qui voit les choses telles qu'elles sont et qui, comme l'allumeur de réverbères, nous éclaire sur le monde qui nous entoure. Forte de cette clairvoyance, sa parole poétique s'apparente à la voix sacrée de la révélation.

▶ Brassaï, *Allumeur de réverbères*, place de la Concorde, 1933, photographie.

◀ Robert Delaunay, *Le Poète Philippe Soupault*, 1922, huile sur toile, Centre Georges-Pompidou.

Un poète dans la ville : entre enchantement et désenchantement

Dans leurs textes sur la ville, les auteurs contemporains rendent compte des transformations du paysage urbain. Entre fascination et répulsion, le poète témoigne des espoirs et des angoisses suscités par les progrès techniques et industriels, qui bouleversent notre quotidien.
Si, d'un côté, ces avancées semblent promettre des jours meilleurs, de l'autre, elles engendrent un sentiment d'anxiété. Le développement urbain est parfois ressenti comme agressif et impersonnel, et la vie citadine est dépeinte comme une vie de solitude.

▲ Raoul Dufy, *La Fée Électricité : histoire de l'électricité*, 1937-1938, huile sur toile, Centre Georges-Pompidou.

▲ Edward Hopper, *Nighthawks Painting*, 1942, The Art Institute of Chicago.

▲ Arman, *Poubelle des Halles*, 1961, bois, carton, paille, papier journal, plastique, textile, verre, accumulation de déchets des Halles dans une boîte vitrée, Centre Georges-Pompidou.

Le voyage intérieur

« Et le poète écrit. Il écrit d'abord pour se révéler à lui-même, savoir de quoi il est capable » (Pierre Reverdy, *Cette émotion appelée poésie*, 1950).

La poésie représente à la fois une forme d'introspection et d'ouverture sur le monde : le poète découvre son for intérieur tout en poussant le lecteur à s'interroger sur ses propres émotions.

▲ Henri Michaux, *Peinture à l'encre de Chine n° 2*, 1959, encre de Chine, Centre Georges-Pompidou. Poète et peintre, Henri Michaux explore son « espace du dedans » (dont il fait le titre de l'un de ses recueils), aussi bien par l'écriture poétique que dans ses dessins à l'encre.

Dans «Grand standigne», extrait de *Courir les rues*, Queneau nous offre une vision désabusée des limites de la modernité. Sur un ton humoristique que soulignent les nombreux néologismes, le poète montre que toutes les marques du confort moderne, que l'on peine à accumuler, finiront par vieillir, perdre leur valeur, être détruites puis remplacées par d'autres; le «grand standigne» actuel est en trompe l'œil et la modernité se révèle éphémère.

Grand standigne[1]

Un jour on démolira
ces beaux immeubles si modernes
on en cassera les carreaux
de plexiglas ou d'ultravitre[2]
5 on démontera les fourneaux
construits à polytechnique[3]
on sectionnera les antennes
collectives de tévision[4]
on dévissera les ascenseurs
10 on anéantira les vide-ordures
on broiera les chauffoses[5]
on pulvérisera les frigidons[6]

---

1. *Standigne* : prononciation francisée de «standing», train de vie coûteux et prestigieux d'une personne; haut niveau de qualité, de confort, à propos d'une chose.
2. *Ultravitre* : mot inventé par Queneau (en ajoutant le préfixe «ultra-» au mot «vitre»); matériau en verre utilisé dans les immeubles modernes.
3. *Polytechnique* : grande école d'ingénieurs.
4. *Tévision* : mot inventé par Queneau pour «télévision».
5. *Chauffoses* : mot inventé par Queneau, désignant à la fois des chauffages et des chauffeuses. Le suffixe «-oses» a une connotation péjorative.
6. *Frigidons* : mot inventé par Queneau, pour frigidaires. Le suffixe «-ons» a une connotation péjorative et familière.

quand ces immeubles vieilliront
du poids infini de la tristesse des choses

Raymond Queneau, «Grand standigne», *Courir les rues* [1967], in *Œuvres complètes*, © Gallimard, coll. «Bibliothèque de la Pléiade», t. I, 1989.

L'OuLiPo

L'OuLiPo ou l'Ouvroir de littérature potentielle est une association internationale qui réunit des écrivains et des mathématiciens. Fondée en 1960 par Raymond Queneau et le mathématicien François Le Lionnais, l'OuLiPo se réunit encore aujourd'hui régulièrement. Le projet des oulipiens consiste à écrire des textes obéissant à des contraintes extrêmement précises, souvent inspirées des mathématiques, afin de produire des créations inédites.
Parmi les oulipiens les plus célèbres, on compte les écrivains Italo Calvino (1923-1985), Georges Perec (1936-1983) et Jacques Roubaud (né en 1932), mais aussi des scientifiques tels que le mathématicien Claude Berge (1926-2002).
L'OuLiPo définit des contraintes formelles, qui apparaissent comme un moyen de stimuler l'imagination des auteurs. Georges Perec a rédigé l'intégralité du roman *La Disparition* sans utiliser la lettre « e ». Autre contrainte inventée par l'écrivain Jean Lescure, la méthode « S + 7 » consiste à s'emparer d'un texte et à en remplacer chaque mot par le septième mot de même nature qui le suit dans le dictionnaire ; « La Cigale et la Fourmi » devient ainsi « La Cimaise et la Fraction ». Raymond Queneau propose aussi à ses lecteurs une méthode interactive pour composer *Cent mille milliards de poèmes* (recueil paru en 1961) : dans ce livre, dix sonnets sont écrits sur dix pages, découpées en quatorze bandes où se trouve un seul vers. Le lecteur est invité à recréer un poème en combinant les vers comme il le souhaite, pour un total de 100 000 000 000 000 sonnets ! Quant au poète Jacques Jouet (né en 1947), il propose une méthode pour écrire un poème au rythme du métro (voir dossier, p. 118). ■

■ Blaise Cendrars.

■ Aimé Césaire.

■ Robert Desnos.

■ Dominique A.

III

UN POÈTE DANS LA VILLE : ENCHANTEMENT ET DÉSENCHANTEMENT

Jacques Réda.

Léopold Sédar Senghor.

A. Le chant des villes

■ Blaise Cendrars, *Dix-neuf poèmes élastiques*, 1919

Écrivain suisse naturalisé français, Blaise Cendrars (1887-1961) participe à la Première Guerre mondiale et, blessé grièvement, doit être amputé de sa main droite. Grand voyageur depuis l'âge de seize ans, il traverse l'Europe, la Russie, les États-Unis et le Brésil; ses périples lui inspirent des poèmes en vers libres, comme *La Prose du Transsibérien et de la petite Jehanne de France* et «Les Pâques à New York». Il est également grand reporter et auteur de romans tels que *L'Or* (publié en 1925) et *Moravagine* (publié en 1926).
L'un de ses premiers recueils de poèmes s'intitule *Dix-neuf poèmes élastiques*. Avec ce titre, l'écrivain s'inscrit dans la modernité poétique : alors que, jusqu'au XIXe siècle, la poésie était assujettie à des contraintes formelles (rimes, mètres), Cendrars en appelle à l'élasticité, autrement dit à la souplesse et à la flexibilité dans la versification. Dans ce poème de 1913, les «contrastes» que souligne le poète sont à la fois ceux qui divisent la ville de Paris et ceux que recèle la poésie elle-même, dans une écriture toute en oppositions et en nuances picturales.

Contrastes

Les fenêtres de ma poésie sont grand'ouvertes sur les
boulevards et dans ses vitrines
Brillent
Les pierreries de la lumière
Écoute les violons des limousines et les xylophones des
linotypes[1]
5 Le pocheur[2] se lave dans l'essuie-main du ciel
Tout est taches de couleur
Et les chapeaux des femmes qui passent sont des comètes dans
l'incendie du soir

L'unité
Il n'y a plus d'unité
10 Toutes les horloges marquent maintenant 24 heures après
avoir été retardées de dix minutes
Il n'y a plus de temps.
Il n'y a plus d'argent.
À la Chambre[3]
On gâche les éléments merveilleux de la matière première[4]

15 Chez le bistro
Les ouvriers en blouse bleue boivent du vin rouge
Tous les samedis poule au gibier[5]
On joue
On parie

---

1. ***Linotypes*** : machines à écrire.
2. ***Pocheur*** : le mot peut désigner un ouvrier chargé de couler du métal, ou un homme qui «poche», qui fait l'esquisse d'un portrait ou d'une scène.
3. ***Chambre*** : assemblée des députés.
4. Référence aux richesses minières des colonies.
5. ***Poule au gibier*** : jeu de loto où le prix est une pièce de gibier.

20 De temps en temps un bandit passe en automobile[1]
Ou un enfant joue avec l'Arc de Triomphe[2]...
Je conseille à M. Cochon[3] de loger ses protégés à la tour Eiffel.

Aujourd'hui
Changement de propriétaire
25 Le Saint-Esprit[4] se détaille chez les plus petits boutiquiers
Je lis avec ravissement les bandes de calicot[5]
De coquelicot
Il n'y a que les pierres ponces de la Sorbonne[6] qui ne sont jamais fleuries
L'enseigne de la Samaritaine laboure par contre la Seine
30 Et du côté de Saint-Séverin[7]
J'entends
Les sonnettes acharnées des tramways

Il pleut les globes électriques
Montrouge Gare de l'Est Métro Nord-Sud bateaux-mouches monde
35 Tout est halo[8]

---

1. Référence à «la bande à Bonnot», célèbre bande de voleurs qui opéraient en voiture. Ils furent arrêtés en 1912.
2. Référence à un aviateur qui s'est amusé à passer sous l'Arc de triomphe avant d'atterrir sur les Champs-Élysées.
3. ***M. Cochon*** : Georges Cochon (1879-1959), militant anarchiste qui luttait contre l'expropriation des locataires. Ses «protégés» désignent les sans-abri qu'il a défendus.
4. ***Saint-Esprit*** : dans la religion catholique, troisième personne de Dieu, avec le Père et le Fils (Jésus).
5. ***Calicot*** : toile de coton avec laquelle on peut confectionner des banderoles. Référence aux manifestations.
6. ***La Sorbonne*** : grande université parisienne, au cœur du Quartier latin.
7. ***Saint-Séverin*** : l'église la plus ancienne du Quartier latin, à Paris.
8. ***Halo*** : zone circulaire autour d'une source lumineuse (exemple : le halo d'un réverbère).

Profondeur
Rue de Buci on crie *L'Intransigeant* et *Paris-Sports*[1]
L'aérodrome du ciel est maintenant, embrasé, un tableau de
Cimabue[2]
Quand par devant
40 Les hommes sont
Longs
Noirs
Tristes
Et fument, cheminées d'usine.

Octobre 1913.

Blaise Cendrars, «Contrastes» [1919],
Tout autour d'aujourd'hui. œuvres complètes, vol. 1, *Poésies complètes*,

---

1. *L'Intransigeant, Paris-Sports* : journaux de l'époque.
2. *Cimabue* (v. 1240-v. 1302) : peintre italien.

Les poèmes en vers libres

Les vers libres ne respectent aucune structure régulière. Leur mètre (ou longueur) peut varier, ils ne sont pas disposés en strophes de longueur fixe et abandonnent parfois la rime. Par rapport aux poèmes en vers traditionnels, les poèmes en vers libres conservent :
- les retours à la ligne en début de vers, avec ou sans majuscules ;
- la présence de groupes de vers, séparés par un saut de ligne ;
- la disposition du texte sur la page : des blancs ou des retraits peuvent venir isoler des vers ou des groupes de vers ;
- des longueurs qui peuvent correspondre, pour certaines, à un nombre de syllabes classique (octosyllabe, décasyllabe, etc.) ;
- un jeu sur les sons (allitérations, assonances, etc.) ;
- l'utilisation d'images poétiques.

Le poème « Marine », figurant dans le recueil *Illuminations* d'Arthur Rimbaud écrit en 1875, est l'un des premiers poèmes composés en vers libres. Parmi les auteurs modernes et contemporains qui ont recouru au vers libre, on trouve Émile Verhaeren (« La Ville », p. 123), Blaise Cendrars (« Îles », p. 95), Guillaume Apollinaire (« Zone », p. 76), Henri Michaux (« Emportez-moi », p. 104), mais également Paul Eluard, René Char ou Louis Aragon. ■

■ Guillaume Apollinaire, *Alcools*, 1913

Dans *Alcools*, Apollinaire[1] a exploré de multiples formes de la poésie (élégie, vers libres, etc.). Le premier texte du recueil, « Zone », prend la forme d'un véritable manifeste en faveur de la modernité poétique. Comme Cendrars, Apollinaire abandonne toute forme de ponctuation pour se reposer sur le rythme des vers en eux-mêmes. Cette typographie originale, comme l'usage des personnifications et des métaphores, fait naître des images fortes et inédites.

---

1. Sur Apollinaire, voir p. 41.

Zone[1]

À la fin tu es las[2] de ce monde ancien

Bergère ô tour Eiffel le troupeau des ponts bêle ce matin

Tu en as assez de vivre dans l'antiquité grecque et romaine

Ici même les automobiles ont l'air d'être anciennes
5 La religion seule est restée toute neuve la religion
Est restée simple comme les hangars de Port-Aviation[3]

Seul en Europe tu n'es pas antique ô Christianisme
L'Européen le plus moderne c'est vous Pape Pie X[4]
Et toi que les fenêtres observent la honte te retient
10 D'entrer dans une église et de t'y confesser ce matin
Tu lis les prospectus les catalogues les affiches qui chantent
tout haut
Voilà la poésie ce matin et pour la prose il y a les journaux
Il y a les livraisons à 25 centimes pleines d'aventures policières
Portraits des grands hommes et mille titres divers

15 J'ai vu ce matin une jolie rue dont j'ai oublié le nom
Neuve et propre du soleil elle était le clairon[5]

---

1. ***Zone*** : noms des faubourgs de Paris au début du XXe siècle ; par extension, faubourgs les plus pauvres. Vient du latin *zona*, qui signifie « ceinture ».
2. ***Las*** : fatigué.
3. ***Port-Aviation*** : premier grand aérodrome de la région parisienne, construit en 1909.
4. ***Pie X*** : pape élu en 1903. En mai 1911, il bénit l'aviateur Beaumont, qui avait survolé la place Saint-Pierre de Rome.
5. ***Clairon*** : instrument à vent au son très aigu utilisé dans les régiments militaires.

Les directeurs les ouvriers et les belles sténo-dactylographes[1]
Du lundi matin au samedi soir quatre fois par jour y passent
Le matin par trois fois la sirène y gémit[2]
20 Une cloche rageuse y aboie vers midi
Les inscriptions des enseignes et des murailles
Les plaques les avis à la façon des perroquets criaillent
J'aime la grâce de cette rue industrielle
Située à Paris entre la rue Aumont-Thiéville et l'avenue des
Ternes[3]
[...]

Guillaume Apollinaire, «Zone», *Alcools* [1913], Flammarion, coll. «Étonnants Classiques», 2014.

Robert Desnos, *Fortunes*, 1942

Journaliste, homme de radio et de cinéma, le poète Robert Desnos (1900-1945) fait partie du mouvement surréaliste dans les années 1920, puis s'en détache en 1929 pour se libérer de toute contrainte artistique. Son œuvre poétique, très variée, comporte des textes surréalistes, des poèmes d'amour, ou encore des poésies pour les enfants (*Chantefables et chantefleurs*, publication posthume, 1970). Pendant la Seconde Guerre mondiale, Desnos prend parti contre le nazisme; quand les Allemands occupent la France, il rejoint la Résistance et écrit de nombreux poèmes engagés («Ce

---

1. ***Sténo-dactylographes*** : secrétaires qui maîtrisent la sténographie (écriture rapide en abrégé) et la dactylographie (saisie d'un texte à la machine à écrire).
2. Dans les usines, la sirène sonnait pour signifier la reprise du travail.
3. ***La rue Aumont-Thiéville*** et ***l'avenue des Ternes*** sont des rues du 17e arrondissement de Paris.

cœur qui haïssait la guerre» ou encore «Le Veilleur du Pont-au-Change»). Arrêté par la Gestapo et déporté en 1944, il meurt au camp de concentration de Terezín.
Dans ce poème extrait du recueil *Fortunes*, Desnos célèbre le Paris populaire de son enfance, passée dans le quartier des Halles, le grand marché de Paris, près de l'église Saint-Merri. La capitale est décrite comme un refuge où toutes les nationalités peuvent coexister sans heurt et où la liberté artistique et littéraire ne connaît pas de frein.

Quartier Saint-Merri

Au coin de la rue de la Verrerie
Et de la rue Saint-Martin
3 Il y a un marchand de mélasse[1].

Un jour d'avril, sur le trottoir
Un cardeur de matelas[2]
6 Glissa, tomba, éventra l'oreiller qu'il portait.

Cela fit voler des plumes
Plus haut que le clocher de Saint-Merri.
9 Quelques-unes se collèrent aux barils de mélasse.

Je suis repassé un soir par-là,
Un soir d'avril,
12 Un ivrogne dormait dans le ruisseau.

---

1. ***Mélasse*** : sirop très épais, résidu du raffinage du sucre.
2. ***Cardeur de matelas*** : artisan qui démêle la laine ou le crin contenu dans un matelas, de manière à lui redonner de l'épaisseur.

La même fenêtre était éclairée.
Du côté de la rue des Juges-Consuls
15 Chantaient des gamins.

Là, devant cette porte, je m'arrête.
C'est de là qu'elle partit.
18 Sa mère échevelée[1] hurlait à la fenêtre.

Treize ans, à peine vêtue,
Des yeux flambant sous des cils noirs,
21 Les membres grêles[2].

En vain le père se leva-t-il
Et vint à pas pesants,
24 Traînant ses savates,

Attester de son malheur
Le ciel pluvieux.
27 En vain, elle courait à travers les rues.

Elle s'arrêta un instant rue des Lombards
À l'endroit exact où, par la suite,
30 Passa le joueur de flûte d'Apollinaire[3].

Du cloître Saint-Merri naissaient des rumeurs.
Le sang coulait dans les ruisseaux,
33 Prémices du printemps et des futures lunaisons[4].

---

1. ***Échevelée*** : décoiffée.
2. ***Grêles*** : longs et minces.
3. Référence au poème «Le Musicien de Saint-Merry» de Guillaume Apollinaire, qui décrit le passage d'un joueur de flûte à travers le quartier.
4. ***Lunaisons*** : intervalles de temps séparant deux nouvelles lunes.

L'horloge de la Gerbe d'Or
Répondait aux autres horloges,
36 Au bruit des attelages roulant vers les Halles.
[...]

Robert Desnos, « Quartier Saint-Merri », *Fortunes* [1942],

B. Les ruines des villes

■ Jacques Réda, *Les Ruines de Paris*, 1977

Le poète et éditeur Jacques Réda (né en 1929) dirige pendant près de dix ans la *Nouvelle Revue française*, prestigieuse revue littéraire qui a publié les plus grands poètes du XXe siècle. Dans sa propre poésie, Jacques Réda fait l'éloge de la lenteur et de la flânerie, qui sont pour lui des sources privilégiées d'inspiration. Plutôt que les voyages exotiques, il préfère les déambulations dans les différents quartiers de Paris et dans sa banlieue. Ses promenades sont l'occasion de rêveries poétiques sur la ville, ce dont témoignent les titres de ses recueils : *Hors les murs* (publié en 1982), *Le Sens de la marche* (publié en 1990) ou *Le Citadin* (publié en 1998).
Son premier recueil en vers libres, *Les Ruines de Paris* (1977), est inspiré par ces balades quotidiennes. Au gré de son errance, Réda porte un regard critique sur la capitale. Dans ce poème, il déplore que les espaces verts laissent la place aux immeubles à mesure que le paysage urbain se développe, ou encore que les buildings fassent peu à peu disparaître le ciel.

Aux environs

À cette heure où comme avant le jour tout redevient calme et bleu,
j'ai regret des champs et forêts qui devaient être si proches,
de l'endroit où cessaient dans la boue et l'herbe les gros pavés.
Après quoi le chemin roulait entre des carrés bleus de légumes,
5 *sous les branches presque nues et basses des vergers*[1] *bleus,*
les mêmes nuages comme des chapeaux glissant au ras des vignes,
le même ciel s'avançant en personne par les fourrés
(je veux dire tel qu'une vraie personne que l'on salue), et puis
comme dans ce rêve qui depuis deux ans m'est si souvent revenu,
10 *où j'atteins une dernière petite place au flanc de Montmartre*[2] *–*
et le rêve même de la ville enfin se dévoile, et c'est ainsi :
des bois sombres, des chevaux rouges, des collines et des champs dorés –
on entrait dans la profondeur muette de la campagne,
Gentilly, Châtillon, Montreuil, Vanves, Clamart et Saint-Cloud[3].
15 *Mais surtout le nord troublait à cause d'un fort regain d'espace,*
toutes ces plaines étirant jusqu'aux mers leurs fins sillons[4]
et qui mal jointes au bord de l'Oise, au bord de l'Aisne, au bord de l'Ourcq[5],
vides le long des routes martelées[6] *par le fer et les étoiles,*

---

1. ***Vergers*** : jardins d'arbres fruitiers.
2. ***Montmartre*** : butte qui domine Paris, au nord de la ville.
3. Ces communes limitrophes de Paris furent pendant des années de petites villes ou des villages. L'urbanisation en a fait des banlieues très peuplées.
4. ***Fins sillons*** : fines traces, laissées par un instrument de labour dans les champs.
5. ***L'Aisne*** est une rivière qui se jette dans ***l'Oise***; la rivière ***Ourcq*** est un affluent de la Marne. Marne et Oise, rivières du bassin parisien, se jettent elles-mêmes dans la Seine.
6. ***Martelées*** : frappées fort et de manière répétitive.

gonflent et grondent encore comme d'immenses papiers d'emballage – le nord.

20 *C'était un temps de malheur des gens mais de leur forte innocence.*

Aussi pouvaient-ils rencontrer la Sainte Vierge ou le Bon Dieu

quand ils relevaient leurs yeux analphabètes de l'épaisse terre

et que l'heure était celle-ci qui dure tandis que j'écris :

bleue et calme comme l'intérieur d'une perle d'eau mystique[1],

25 *là où je n'aperçois qu'un doigt de ciel par-dessus le béton,*

et où ne manquant ni de pain, ni de chaleur, ni de chemise,

disposant de merveilleux moyens d'hygiène et de communications,

remboursé lorsque je suis malade et mécontent de mon sort,

j'essaye de voir ce bleu comme avec des yeux de pauvre,

30 *de le retenir, lui qui va si vite, par les pans troués de son manteau.*

Mais il s'enfonce au nord sous les ponts du Périphérique[2],

misérable comme ces Nègres que j'ai vus là-bas près d'un feu,

le vieux feu de vieux bouts de bois et de sacs de l'espérance.

Jacques Réda, « Aux environs », *Les Ruines de Paris* [1977],
© Gallimard, coll. « Poésie », 1993.

■ Léopold Sédar Senghor, *Éthiopiques*, 1956

Écrivain et homme politique sénégalais, Léopold Sédar Senghor (1906-2001) est une grande figure de la poésie africaine francophone. Lorsqu'il naît à Joal, au Sénégal, le pays est colonisé par la France depuis le XIXe siècle. Senghor fait ses études à Paris, obtient l'agrégation de grammaire et devient enseignant. Pen-

1. ***Mystique*** : religieuse et mystérieuse.
2. ***Périphérique*** : boulevard dévolu à la seule circulation automobile, qui entoure Paris et sépare la capitale de la banlieue.

dant la Seconde Guerre mondiale, Senghor, qui a participé aux combats, est fait prisonnier en 1940; relâché en 1942, il s'engage dans la Résistance et soutient le général de Gaulle. Après la guerre, il entame une carrière politique de premier plan. Il est élu plusieurs fois député du Sénégal, obtient le poste de ministre conseiller en France et participe au mouvement d'indépendance des États colonisés d'Afrique de l'Ouest. À l'indépendance du Sénégal en 1960, il devient le premier président de la République du Sénégal et reste en poste pendant vingt ans. Premier Africain à siéger à l'Académie française, il reçoit de très nombreux prix littéraires. Avec le poète martiniquais Aimé Césaire (1913-2008), c'est l'un des porte-parole du courant politique et littéraire de la négritude (voir p. 85).

Dans ce poème en vers libres extrait de son recueil *Éthiopiques* (publié en 1956), Senghor évoque la ville de New York, qu'il a visitée lors d'un voyage officiel. Ses sentiments sont très contradictoires face à cette cité impressionnante, toute en contrastes : la beauté de la ville n'a d'égale que la sensation d'angoisse et de vide qu'elle suscite chez le poète.

À New York
(pour un orchestre de jazz : solo de trompette)

New York! D'abord j'ai été confondu[1] par ta beauté, ces grandes filles d'or aux jambes longues.
Si timide d'abord devant tes yeux de métal bleu, ton sourire de givre
Si timide. Et l'angoisse au fond des rues à gratte-ciel
Levant des yeux de chouette parmi l'éclipse du soleil.

---

1. ***Confondu*** : stupéfait.

5 Sulfureuse[1] ta lumière et les fûts[2] livides[3], dont les têtes foudroient le ciel

Les gratte-ciel qui défient les cyclones sur leurs muscles d'acier et leur peau patinée[4] de pierres.

Mais quinze jours sur les trottoirs chauves de Manhattan

– C'est au bout de la troisième semaine que vous saisit la fièvre en un bond de jaguar

Quinze jours sans un puits ni pâturage, tous les oiseaux de l'air

10 Tombant soudain et morts sous les hautes cendres des terrasses.

Pas un rire d'enfant en fleur, sa main dans ma main fraîche

Pas un sein maternel, des jambes de nylon[5]. Des jambes et des seins sans sueur ni odeur.

Pas un mot tendre en l'absence de lèvres, rien que des cœurs artificiels payés en monnaie forte

Et pas un livre où lire la sagesse. La palette du peintre fleurit des cristaux de corail.

15 Nuits d'insomnie ô nuits de Manhattan ! si agitées de feux follets[6], tandis que les klaxons hurlent des heures vides

Et que les eaux obscures charrient[7] des amours hygiéniques, tels des fleuves en crue des cadavres d'enfants.

[...]

Léopold Sédar Senghor, « À New York », *Éthiopiques*, © Seuil, 1956.

---

1. ***Sulfureuse*** : semblable au soufre, cristal jaune très inflammable, symboliquement associé à l'enfer.
2. ***Fûts*** : colonnes.
3. ***Livides*** : très pâles.
4. ***Patinée*** : polie, usée par le temps.
5. ***Nylon*** : tissu synthétique, utilisé pour les collants.
6. ***Feux follets*** : lumières produites par la combustion du gaz d'un corps en décomposition.
7. ***Charrient*** : transportent.

La négritude

« La négritude est la simple reconnaissance du fait d'être noir, et l'acceptation de ce fait, de notre destin de Noir, de notre histoire et de notre culture », écrit Aimé Césaire en 1934 dans le journal des étudiants d'Afrique et des Antilles, *L'Étudiant noir*. Sous le terme « négritude », de nombreuses personnalités et poètes décrivent les souffrances des peuples noirs. En particulier, ils dénoncent les effets pervers du colonialisme français sur l'identité et la culture noires. Proclamant l'existence mais aussi la valeur de cette culture longtemps négligée, ils produisent une poésie qui s'inspire de l'art et du chant africains, ou choisissent des sujets liés à l'indépendance des communautés noires.
Le terme « négritude » désigne bientôt un mouvement littéraire et politique, porté à travers le monde par des écrivains noirs francophones : Aimé Césaire et Léopold Sédar Senghor en sont les chefs de file, mais on citera aussi Léon-Gontran Damas (1912-1978), Guy Tirolien (1917-1988), Birago Diop (1906-1989) et René Depestre (né en 1926). Loin de se limiter à la cause des pays africains, ces penseurs s'insurgent contre toutes les formes d'oppression. ■

■ Aimé Césaire, *Cahier d'un retour au pays natal*, 1939

Aimé Césaire (1913-2008) est un poète originaire de la Martinique. Alors qu'il mène à Paris de brillantes études (il intègre la fameuse École normale supérieure et obtient l'agrégation de lettres), il se lie d'amitié avec Léopold Sédar Senghor[1]. Comme son camarade, Césaire s'engage en politique dans sa terre natale, la Martinique. Élu maire de Fort-de-France, puis député de la Martinique, il est le rapporteur de la loi faisant des colonies de la Guadeloupe, de la Martinique, de la Guyane française et

1. Sur Senghor, voir p. 82.

de la Réunion des départements français. Parallèlement, il poursuit une carrière littéraire et devient un poète de premier plan. Poète engagé et militant, Césaire forge le terme « négritude » et devient le porte-drapeau de ce mouvement. Il promeut la poésie africaine en fondant la revue *Présence africaine*, qui deviendra une maison d'édition. Durant la Seconde Guerre mondiale, il rencontre le poète André Breton et se rallie au surréalisme.
Son œuvre se compose de nombreux recueils de poésie (*Soleil cou coupé*[1] en 1948, *Corps perdu* en 1949, *Ferrements* en 1960), mais également de pièces de théâtre et d'essais.
Le texte ci-dessous est un extrait du premier recueil poétique de Césaire, *Cahier d'un retour au pays natal*, publié en 1939. Il y crie sa révolte contre l'oppression coloniale et son influence néfaste sur toutes les consciences, y compris la sienne propre. Dans cet extrait, Césaire montre que l'humiliation de sa race est tellement enracinée dans son esprit que lui-même se moque d'un homme noir dans la misère ; il en éprouve ensuite un sentiment de honte. Il relie explicitement ce comportement à la ville qu'il habite, Paris, loin de son « pays natal ». Tout en dénonçant le racisme latent, ce poème engagé critique les travers de la vie urbaine, qui déshumanise et avilit les êtres.

Et moi, et moi,
moi qui chantais le poing dur
Il faut savoir jusqu'où je poussai la lâcheté.
Un soir dans un tramway en face de moi, un nègre.
5 C'était un nègre grand comme un pongo[2] qui essayait de se faire tout petit sur un banc de tramway. Il essayait d'abandonner sur ce banc crasseux de tramway ses jambes gigantesques et ses mains tremblantes de boxeur affamé. Et tout l'avait laissé, le lais-

---

1. Ce titre reprend le dernier vers du poème «Zone» de Guillaume Apollinaire (voir p. 76, où seul le début du poème est cité).
2. ***Pongo*** : grand singe.

sait. Son nez qui semblait une péninsule en dérade[1] et sa négri-
10 tude[2] même qui se décolorait sous l'action d'une inlassable mégie[3]. Et le mégissier était la Misère. Un gros oreillard[4] subit dont les coups de griffes sur ce visage s'étaient cicatrisés en îlots scabieux[5]. Ou plutôt, c'était un ouvrier infatigable, la Misère, travaillant à quelque cartouche[6] hideux. On voyait très bien
15 comment le pouce industrieux[7] et malveillant avait modelé le front en bosse, percé le nez de deux tunnels parallèles et inquiétants, allongé la démesure de la lippe[8], et par un chef-d'œuvre caricatural, raboté, poli, verni la plus minuscule mignonne petite oreille de la création.

20 C'était un nègre dégingandé[9] sans rythme ni mesure.

Un nègre dont les yeux roulaient une lassitude sanguinolente.

Un nègre sans pudeur et ses orteils ricanaient de façon assez puante au fond de la tanière entrebâillée de ses souliers.

La misère, on ne pouvait pas dire, s'était donné un mal fou
25 pour l'achever.

Elle avait creusé l'orbite, l'avait fardée d'un fard de poussière et de chassie[10] mêlées.

Elle avait tendu l'espace vide entre l'accrochement solide des mâchoires et les pommettes d'une vieille joue décatie[11]. Elle avait
30 planté dessus les petits pieux luisants d'une barbe de plusieurs jours. Elle avait affolé le cœur, voûté le dos.

---

1. ***En dérade*** : quittant la rade (bassin d'un port) pour cause de tempête.
2. ***Sa négritude*** : ici, la couleur noire de sa peau.
3. ***Mégie*** : fait que la peau blanchit peu à peu. À l'origine, la mégie est l'action de tanner le cuir.
4. ***Un oreillard*** : une chauve-souris à grandes oreilles.
5. ***Scabieux*** : galeux.
6. ***Cartouche*** : inscription sculptée.
7. ***Industrieux*** : appliqué à sa tâche, habile.
8. ***Lippe*** : lèvre inférieure.
9. ***Dégingandé*** : disproportionné, désarticulé.
10. ***Chassie*** : liquide jaune sécrété par l'œil.
11. ***Décatie*** : plissée, qui a perdu sa fraîcheur.

Et l'ensemble faisait parfaitement un nègre hideux, un nègre grognon, un nègre mélancolique, un nègre affalé, ses mains réunies en prière sur un bâton noueux. Un nègre enseveli dans une 35 vieille veste élimée. Un nègre comique et laid et des femmes derrière moi ricanaient en le regardant.

Il était COMIQUE ET LAID,

COMIQUE ET LAID pour sûr.

J'arborai un grand sourire complice…

40 Ma lâcheté retrouvée!

Je salue les trois siècles qui soutiennent mes droits civiques et mon sang minimisé.

Mon héroïsme, quelle farce!

Cette ville est à ma taille.

45 Et mon âme est couchée. Comme cette ville dans la crasse et dans la boue couchée.

Aimé Césaire, *Cahier d'un retour au pays natal* [1939],

■ Dominique A., « Je suis une ville », 1999

Né à Provins en 1968, Dominique Ané commence une carrière d'auteur, de compositeur et de chanteur dans les années 1990. Sous le nom de Dominique A., il signe plusieurs albums (*Remué* en 1999, *Tout sera comme avant* en 2004, *Vers les lueurs* en 2012). Ses chansons ont la particularité de s'appuyer sur des textes très travaillés, enrichis de nombreuses images poétiques, tour à tour très sombres et très légers.

Dans cette chanson, Dominique A. donne la parole à une ville, n'importe laquelle – comme le souligne l'article indéfini « une ». Cette cité personnifiée et difforme décrit la volonté d'exil de certains citadins en quête d'un ailleurs plus clément, mais qui ne parviennent pas véritablement à fuir ce point d'attache.

Je suis une ville dont beaucoup sont partis
Enfin pas tous encore mais ça se rétrécit
Il reste celui-là qui ne se voit pas ailleurs
Celui-là qui s'y voit mais à qui ça fait peur
5 Et celle-là qui ne sait plus, qui est trop abrutie[1]
Qui ne sait pas où elle est ou qui se croit partie

Je suis une ville où l'on ne voit même plus
Qu'un tel n'est pas au mieux lui qu'on a toujours vu
Avec les joues bien bleues, avec les yeux rougis
10 Ou avec le teint gris, mais bon, avec l'air d'être en vie
Un jour il est foutu et peu comprennent alors
Que la mort a frappé quelqu'un de déjà mort

Je suis une ville de chantiers ajournés[2]
De fêtes nationales, de peu de volonté
15 De fraises qui prolifèrent[3] le nez bien dans le verre
De retrouvailles pénibles car sur un pied de guerre
De visites écourtées ou dont on désespère
Je suis une ville couchée la bouche de travers

Parce qu'il y fait trop froid, parce que c'est trop petit
20 Beaucoup vont s'en aller car beaucoup sont partis
Il en revient parfois qui n'ont pas tous compris
Ce qui les ramène là et les attend ici
Ils ne demandent qu'à dire combien ils sont heureux
D'être là à nouveau, qu'on les y aide un peu

25 Qu'ils ne comptent pas sur moi pour les en remercier
On ne remercie pas ceux qui vous ont quittés

---

1. ***Abrutie*** : sidérée, comme assommée.
2. ***Ajournés*** : reportés.
3. ***Prolifèrent*** : se multiplient.

Qui reviennent par dépit[1] et ne le savent même pas
Ils ne savent rien de rien et pourtant ils sont là
Et je suis encore fière et plutôt dépérir
30 Que de tout pardonner, que de les accueillir

Je suis une ville dont beaucoup sont partis
Enfin pas tous encore mais ça se rétrécit
Et je suis bien marquée, d'ailleurs je ne vis plus
Que sur ce capital, mes rides bien en vue
35 Mais mes poches sont vides et ma tête est ailleurs
Je suis une ville foutue qui ne sait plus lire l'heure
Qui a oublié l'heure
Qui ne sait plus lire l'heure.

Dominique A., « Je suis une ville », *Remué*,

1. ***Par dépit*** : faute de mieux, en désespoir de cause.

Jean Cocteau.

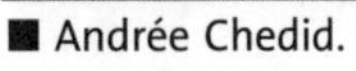
Andrée Chedid.

Henri Michaux.

Renaud Séchan.

IV

NOUVELLES INVITATIONS AUX VOYAGES

A. Voyage vers le lointain

■ Blaise Cendrars, *Feuilles de route*, 1924

Feuilles de route (1924) de Blaise Cendrars[1] est une sorte de carnet de voyages poétique, composé lors des périples de l'écrivain. Dans ce poème court, en vers libres et qui ne comporte qu'une seule phrase, Cendrars apostrophe et personnifie les îles. Il désire vivement rejoindre ces lieux lointains ou rêvés, comme le montre l'anaphore, figure d'insistance, qui prend ici la forme d'une prière. Un suspens naît de l'attente du verbe de la proposition principale, qui n'apparaît que dans le dernier vers.

Îles
Îles
Îles
Îles où l'on ne prendra jamais terre
5 Îles où l'on ne descendra jamais
Îles couvertes de végétations
Îles tapies[2] comme des jaguars
Îles muettes

---

1. Sur Cendrars, voir p. 71.
2. ***Tapies*** : cachées.

Îles immobiles
10 Îles inoubliables et sans nom
Je lance mes chaussures par-dessus bord car je voudrais bien
aller jusqu'à vous

Blaise Cendrars, «Îles», *Feuilles de route* [1924],
in *Tout autour d'aujourd'hui. œuvres complètes*, vol. 1, *Poésies complètes*,

■ Jean Cocteau, *Escale. Poésies*, 1920

L'artiste et écrivain Jean Cocteau (1889-1963) figure parmi les talents les plus féconds de son époque. Au cœur de la vie culturelle de son temps, il fréquente aussi bien le peintre cubiste Pablo Picasso (1881-1973) que la chanteuse Édith Piaf (1915-1963) et l'acteur Jean Marais (1913-1998). Son œuvre prend de multiples formes : romans (*Les Enfants terribles* en 1929), pièces de théâtre (*La Machine infernale* en 1934, *Les Parents terribles* en 1938), recueils de poèmes (*Ode à Picasso* en 1919, *Mythologie* en 1934, *La Crucifixion* en 1946). Mais il pratique aussi le dessin et réalise des films, notamment *La Belle et la Bête* en 1946 et *Orphée* en 1950.
Dans ce poème en vers de six syllabes, Cocteau compare des archipels exotiques à une petite île de la région parisienne : les images poétiques révèlent la beauté cachée de ce quotidien et font de l'îlot des bords de Marne l'égal de ces ailleurs rêvés.

Îles

À Palma de Majorque[1]
Tout le monde est heureux
On mange dans la rue
4 Des sorbets au citron

Des fiacres plus jolis
Que des violoncelles
Vous attendent au port
8 Pour vous mettre à l'hôtel

Racontez-moi encore
Palma des Baléares
Je ne connais qu'une île
12 Au milieu de la Marne

Elle est petite en tôle
Comme un tir de la foire[2]
Mon cœur est l'œuf qui danse
16 Sur le haut du jet d'eau[3]

Monsieur le photographe
Un oiseau va sortir
La noce qui s'embarque
20 Je reste seul sauvage

---

1. ***Palma de Majorque*** : capitale de l'archipel espagnol des Baléares.
2. ***Tir de la foire*** : stand de foire pouvant être recouvert de tôle.
3. Référence à un jeu de foire qui consiste à tirer sur une cible placée en équilibre sur un jet d'eau.

Marquises[1] Carolines[2]
Votre nom sur la carte
Grave le mien dans l'arbre
24 Près de la balançoire

Express et paquebots
Qui bercent nos voyages
Ce sont les bateaux-mouches
28 Et les trains de plaisir[3]

Jean Cocteau, «Îles» [1920], *Œuvres poétiques complètes*, © Gallimard, coll. «Bibliothèque de la Pléiade», 1999.

■ Renaud, «Dès que le vent soufflera», 1983

Renaud Séchan (né en 1952) est célèbre sous son seul prénom, Renaud : ce compositeur et interprète français s'est fait un nom dans la chanson à texte. Très critique envers la société contemporaine, Renaud milite contre la guerre, pour l'écologie et pour les droits de l'homme, dans des chansons populaires qui utilisent le vocabulaire familier et l'argot.
Dans «Dès que le vent soufflera» (1983), Renaud chante le désir d'ailleurs, en reprenant l'imagerie traditionnelle associée à la mer et aux marins. Le voyage offre une échappatoire à un quotidien urbain devenu trop morne. Mais la mer finit par prendre l'homme à son piège, en lui donnant à jamais le goût du lointain et l'envie de repartir. Ce qui compte alors, c'est moins la destination que le voyage en pleine mer en lui-même, symbole de la liberté retrouvée en dépit des dangers qu'il comporte. Le texte

1. ***Marquises*** : archipel de Polynésie, dans l'océan Pacifique.
2. ***Carolines*** : archipel d'Océanie, dans l'océan Pacifique.
3. ***Trains de plaisir*** : trains qui circulaient à prix réduit le dimanche, ou à l'occasion de fêtes ou d'excursions.

manifeste aussi une certaine autodérision : le chanteur se caricature d'abord en « biker » vêtu de cuir et portant des « santiags », puis se moque de ses propres prétentions de marin.

C'est pas l'homme qui prend la mer
C'est la mer qui prend l'homme
Moi la mer elle m'a pris
Je m'souviens un mardi
5 J'ai troqué mes santiags[1]
Et mon cuir un peu zone[2]
Contre une paire de docksides[3]
Et un vieux ciré jaune
J'ai déserté les crasses[4]
10 Qui m'disaient « Sois prudent
La mer c'est dégueulasse
Les poissons baisent dedans »

Dès que le vent soufflera
Je repartira
15 Dès que les vents tourneront
Nous nous en allerons

C'est pas l'homme qui prend la mer
C'est la mer qui prend l'homme
Moi la mer elle m'a pris
20 Au dépourvu[5] tant pis
J'ai eu si mal au cœur
Sur la mer en furie

---

1. ***Santiags*** : bottes en cuir à la mode dans les années 1980.
2. ***Un peu zone*** : de mauvaise qualité, grossier.
3. ***Docksides*** : chaussures plates de marin.
4. ***Crasses*** : idiots (argot).
5. ***Au dépourvu*** : par surprise.

Qu'j'ai vomi mon quatre heures
Et mon minuit aussi
25 J'me suis cogné partout
J'ai dormi dans des draps mouillés
Ça m'a coûté des sous
C'est d'la plaisance, c'est l'pied

Dès que le vent soufflera
30 Je repartira
Dès que les vents tourneront
Nous nous en allerons

Ho ho ho ho ho hissez haut ho ho ho

C'est pas l'homme qui prend la mer
35 C'est la mer qui prend l'homme
Mais elle prend pas la femme
Qui préfère la campagne
La mienne m'attend au port
Au bout de la jetée[1]
40 L'horizon est bien mort
Dans ses yeux délavés
Assise sur une bitte
D'amarrage[2], elle pleure
Son homme qui la quitte
45 La mer c'est son malheur

Dès que le vent soufflera
Je repartira
Dès que les vents tourneront
Nous nous en allerons

---

1. *Jetée* : construction qui s'avance dans l'eau.
2. *Bitte/ D'amarrage* : masse cylindrique qui sert à attacher les navires.

50 C'est pas l'homme qui prend la mer
C'est la mer qui prend l'homme
Moi la mer elle m'a pris
Comme on prend un taxi
Je f'rai le tour du monde
55 Pour voir à chaque étape
Si tous les gars du monde
Veulent bien m'lâcher la grappe[1]
J'irai aux quatre vents
Foutre un peu le boxon[2]
60 Jamais les océans
N'oublieront mon prénom

Dès que le vent soufflera
Je repartira
Dès que les vents tourneront
65 Nous nous en allerons

Ho ho ho ho ho hissez haut ho ho ho

C'est pas l'homme qui prend la mer
C'est la mer qui prend l'homme
Moi la mer elle m'a pris
70 Et mon bateau aussi
Il est fier mon navire
Il est beau mon bateau
C'est un fameux trois mâts
Fin comme un oiseau (Hissez haut)[3]

---

1. ***M'lâcher la grappe*** : me laisser tranquille.
2. ***Boxon*** : bazar (argot).
3. ***C'est un fameux trois mâts/ Fin comme un oiseau (Hissez haut)*** : citation de la chanson «Santiano» enregistrée par Hugues Aufray en 1961 (paroles de Jacques Plante).

75 Tabarly, Pajot
Kersauson et Riguidel[1]
Naviguent pas sur des cageots
Ni sur des poubelles

Dès que le vent soufflera
80 Je repartira
Dès que les vents tourneront
Nous nous en allerons

C'est pas l'homme qui prend la mer
C'est la mer qui prend l'homme
85 Moi la mer elle m'a pris
Je m'souviens un vendredi
Ne pleure plus ma mère
Ton fils est matelot
Ne pleure plus mon père
90 Je vis au fil de l'eau
Regardez votre enfant
Il est parti marin
Je sais c'est pas marrant
Mais c'était mon destin

95 Dès que le vent soufflera
Je repartira
Dès que les vents tourneront
Nous nous en allerons

---

1. ***Éric Tabarly*** (1931-1998) : navigateur breton mort en mer. ***Marc Pajot*** (né en 1953) : navigateur médaillé olympique. ***Olivier de Kersauson*** (né en 1944) : navigateur, chroniqueur et écrivain, record du tour du monde en solitaire en 1989. ***Eugène Riguidel*** (né en 1940) : vainqueur de la course transatlantique «Transat en double» en 1979.

Dès que le vent soufflera
100 Je repartira
Dès que les vents tourneront
Nous nous en allerons

Dès que le vent soufflera
Je repartira
105 Dès que les vents tourneront
Nous nous en allerons

Dès que le vent soufflera
Nous repartira
Dès que les vents tourneront
110 Je me n'en allerons

«Dès que le vent soufflera», paroles et musique
de Renaud Séchan, *Morgane de toi*,

B. Voyage intérieur

■ Henri Michaux, *L'Espace du dedans*, 1944

Poète d'origine belge et naturalisé français, Henri Michaux (1889-1984) voyage en Uruguay et en Argentine, en compagnie du poète Jules Supervielle (1884-1960). Il rédige alors de nombreux carnets de voyage, réels (*Ecuador* en 1929) ou imaginaires (*Ailleurs* en 1948). Dès 1925, il pratique également les arts graphiques (aquarelle, dessin au crayon, gravure et encre) qui prennent une place de plus en plus importante dans son œuvre. Dans le poème «Emportez-moi», Henri Michaux rêve d'une autre sorte de voyage : l'exploration de l'intérieur, de «l'espace du dedans», selon le titre de son recueil.

Emportez-moi

Emportez-moi dans une caravelle[1],
Dans une vieille et douce caravelle,
Dans l'étrave[2], ou si l'on veut dans l'écume.
4 Et perdez-moi, au loin, au loin.

Dans l'attelage d'un autre âge.
Dans le velours trompeur de la neige.
Dans l'haleine de quelques chiens réunis.
8 Dans la troupe exténuée des feuilles mortes.

Emportez-moi sans me briser, dans les baisers,
Dans les poitrines qui se soulèvent et respirent,
Sur les tapis des paumes et leur sourire,
12 Dans les corridors des os longs et des articulations.

Emportez-moi, ou plutôt enfouissez-moi.

Henri Michaux, « Emportez-moi » [1944], *L'Espace du dedans*,
© Gallimard, coll. « Poésie », 1998.

■ Raymond Queneau, *Fendre les flots*, 1969

Le voyage est un thème traditionnel de la poésie française, les poètes trouvant dans leurs rêves d'exotisme un moyen de s'évader du quotidien. C'est en particulier le sujet d'un très célèbre poème de Baudelaire, « L'Invitation au voyage[3] ». Dans son recueil *Fendre les flots*, Raymond Queneau[4] reprend le titre

---

1. ***Une caravelle*** : un navire à voiles.
2. ***Étrave*** : pièce saillante qui forme la proue (l'avant) d'un navire.
3. Voir dossier, p. 126.
4. Sur Raymond Queneau, voir p. 64.

du texte de Baudelaire, qu'il récrit dans un sonnet humoristique, en employant un niveau de langue familier. Il y remet en question la vertu du voyage : le rêveur peut toujours s'éparpiller aux quatre coins du globe, il finira toujours par revenir à son point de départ sans avoir rien appris sur lui-même.

L'Invitation au voyage

Voyager dans les airs voyager dans les astres
ou bien rester chez soi ainsi qu'un soliveau[1]
voilà c'est le dilemme[2] ou bien c'est un désastre
4 on dit il faut bouger ou devenir idiot

«Voyagez simplement alors autour du monde
si vous craignez d'errer dans l'espace au-dessus
voyagez en Afrique en Asie en Irlande
8 vous serez satisfait et vous aurez vécu»

Ces conseils indécents me laissent bien perplexe
où dans tout ça pourrais-je retrouver mon axe?
si l'on me fait tourner comme un simple toton[3]

12 Je ne suis pas bien sûr que cette agitation
me permette d'aller bien plus loin que Bléville
que l'on confond parfois avec l'Eure ou Graville[4]

Raymond Queneau, «L'Invitation au voyage», *Fendre les flots* [1969], in *Œuvres complètes*, © Gallimard, coll. «Bibliothèque de la Pléiade», t. I, 1989.

---

1. ***Un soliveau*** : ici, un homme sans énergie (sens figuré et familier). Au sens propre, une pièce de bois.
2. ***Dilemme*** : choix cruel entre deux solutions mauvaises.
3. ***Un simple toton*** : une simple petite toupie.
4. ***Bléville*, *Eure*, *Graville*** : quartiers du Havre où Queneau a vécu.

Le sonnet

Du latin *sonare*, qui signifie « sonner, résonner », le sonnet désigne, étymologiquement, une « petite chanson ». Popularisée par le poète italien Pétrarque (1304-1374), cette forme poétique a été introduite en France au XVIe siècle par Clément Marot et les poètes de la Pléiade (Du Bellay, Ronsard), avant d'être remise au goût du jour au XIXe siècle, en particulier par Charles Baudelaire. Le sonnet est encore très utilisé dans la poésie contemporaine, par exemple dans l'œuvre de Raymond Queneau.
Le sonnet est une forme fixe composée de quatorze vers, répartis en deux quatrains et deux tercets. Il est d'abord écrit le plus souvent en alexandrins, plus rarement en décasyllabes ou en octosyllabes. Les deux quatrains comportent des rimes embrassées, ou parfois croisées, et trois autres rimes sont introduites dans les deux tercets. Les sonnets français modernes reposent généralement sur le schéma de rimes suivant : ABBA/ ABBA/ CCD/ EED.
Dans la plupart des cas, le dernier vers prend la forme d'une chute, qui crée un effet inattendu.
Exemples : « Ma Bohême » d'Arthur Rimbaud, p. 134, « L'Invitation au voyage » de Raymond Queneau, p. 105. ■

■ Andrée Chedid, *Poèmes pour un texte*, 1991

Après des études de journalisme au Caire, où elle est née, la femme de lettres Andrée Chedid (1920-2011) s'installe à Paris en 1946 et se consacre à l'écriture. Elle est l'auteur de nombreux romans et nouvelles (*Le Message* en 2000, *Les Quatre Morts de Jean de Dieu* en 2010), de pièces de théâtre, de poèmes (*Fêtes et Lubies* en 1979) ainsi que de livres pour enfants. Cette personnalité cosmopolite, qui a partagé sa vie entre la France, l'Égypte et le Liban, déploie dans ses textes la richesse des civilisations qu'elle a côtoyées au cours de son existence. Elle reçoit le prix Goncourt de la poésie en 2002.

Dans « La vie voyage », Andrée Chedid oppose le voyage dans l'espace au périple de la vie : aucune odyssée ne pourra jamais égaler l'aventure humaine, qui se révèle d'une richesse infinie. Ce poème est tout particulièrement un hymne à la vie donnant la vie, à la naissance d'un enfant, expérience autrement plus intense que l'exploration du monde.

La vie voyage

Aucune marche
Aucune navigation
N'égalent celles de la vie
S'actionnant dans tes vaisseaux[1]
5 Se centrant dans l'îlot du cœur
Se déplaçant d'âge en âge

Aucune exploration
Aucune géologie
Ne se comparent aux circuits du sang
10 Aux alluvions[2] du corps
Aux éruptions de l'âme

Aucune ascension
Aucun sommet
Ne dominent l'instant
15 Où t'octroyant[3] forme
La vie te prêta vie

---

1. ***Vaisseaux*** : ici, vaisseaux sanguins, veines.
2. ***Alluvions*** : dépôts de terre ou de débris laissés par un cours d'eau.
3. ***Octroyant*** : attribuant.

Les versants[1] du monde
Et les ressources du jour

Aucun pays
20 Aucun périple
Ne rivalisent avec ce bref parcours :

Voyage très singulier
De la vie
Devenue *Toi.*

Andrée Chedid, « La vie voyage », *Poèmes pour un texte. 1970-1991*, Flammarion, 1991.

---

1. ***Versants*** : au sens propre, pentes d'une montagne; au sens figuré, différents aspects d'un objet.

DOSSIER

- Questionnaire de lecture
- Parcours de lecture
- Questions de synthèse
- Travaux d'écriture
- Groupement de textes n° 1 : un poète dans la ville
- Groupement de textes n° 2 : invitations aux voyages
- Lecture de l'image
- Rappel des figures de style essentielles
- Petit rappel sur les vers et les rimes

Questionnaire de lecture

Le rôle du poète contemporain

1. À quel objet Apollinaire et Guillevic comparent-ils le poème ?
2. Qu'est-ce qu'un art poétique ?
3. Qu'est-ce qu'un distique ?
4. Quelles sont les deux sources d'inspiration principales de René-Guy Cadou ?

La poésie des choses ordinaires : contemplation et dénonciation

1. Dressez la liste des objets que célèbrent les poèmes de cette section.
2. Quel auteur contemporain est connu pour ses poèmes en prose sur les choses ? Quel est le titre de son recueil ?
3. Que dénonce Boris Vian dans sa chanson ?
4. Donnez des exemples de néologismes inventés par Boris Vian et par Raymond Queneau.
5. Que signifie le mot « standigne » ?

Un poète dans la ville : enchantement et désenchantement

1. Quelle est la ville que Blaise Cendrars, Guillaume Apollinaire et Robert Desnos décrivent dans leurs poèmes ?
2. Quels sont les « Contrastes » évoqués par Blaise Cendrars ?
3. À quel monument Apollinaire donne-t-il vie dans son poème ? Comment appelle-t-on cette figure de style ?

4. Quel type de strophes Robert Desnos emploie-t-il ?
5. Quelle haute fonction a occupé Léopold Sédar Senghor ?
6. Que regrette Jacques Réda dans le poème « Aux environs » ?

Nouvelles invitations aux voyages

1. Nommez la figure de style qui structure le poème « Îles » de Blaise Cendrars.
2. Quelles îles Jean Cocteau mentionne-t-il ?
3. Dans le refrain de la chanson de Renaud, relevez deux fautes de conjugaison ; en quoi renforcent-elles l'aspect humoristique de ce texte ?
4. À quelle activité artistique s'adonne Henri Michaux, en plus de la poésie ?
5. Quelle est la forme poétique de « L'Invitation au voyage » de Raymond Queneau ?
6. Quel est le voyage qui vaut tous les autres voyages, selon Andrée Chedid ?

Parcours de lecture

Parcours de lecture n° 1 : la poésie des choses : la vue et la vision

Relisez « L'Huître » de Francis Ponge (p. 56) et répondez aux questions suivantes en vous appuyant sur le texte.

Une vue objective des choses : la description de l'huître

1. Distinguez les différents moments de la description de l'huître en vous appuyant sur des termes précis (taille, couleurs, consistance, matière).

2. Que remarquez-vous quant à la longueur des paragraphes ?
3. En quoi peut-on dire que Francis Ponge fait appel aux cinq sens dans cette description de l'huître ? Appuyez votre réponse sur des exemples précis tirés du texte.
4. Relevez les tournures impersonnelles présentes dans le poème. À quel type de textes vous font-elles penser ?

Une vision personnelle des choses : l'huître comme objet poétique

1. Pourquoi les expressions « brillamment blanchâtre » et « dentelle noirâtre » sont-elles surprenantes ? Quelle figure de style reconnaissez-vous ? Comment sont formés les adjectifs « blanchâtre » et « noirâtre » ? Ces termes sont-ils mélioratifs ou péjoratifs ?
2. En quoi l'emploi de l'adverbe « opiniâtrement » pour qualifier le comportement d'un objet est-il étonnant ? De quelle figure de style s'agit-il ? Donnez-en deux autres exemples dans le poème.
3. Dans le passage « il faut alors la tenir [...] sorte de halo », repérez une allitération. Quel effet produit cette figure de style ?
4. Montrez que le poète joue sur le vocabulaire, en précisant les différents sens de l'expression « à boire et à manger », dans le deuxième paragraphe. De même, pourquoi Francis Ponge précise-t-il « à proprement parler » à propos du « firmament » de nacre ?
5. Une métaphore est utilisée à deux reprises à propos de l'huître : laquelle ? Retrouvez différents éléments du champ lexical qui s'y rapporte.
6. Dans la dernière strophe, quel mot renvoie au langage ? En quoi peut-on comparer la perle à la parole poétique ?

Parcours de lecture n° 2 : le poète, critique de la société de consommation : des choses de l'amour à l'amour des choses

Relisez «La Complainte du progrès» de Boris Vian (p. 60) et répondez aux questions suivantes en vous appuyant sur le texte.

Une chanson d'amour?

1. Quel est le thème de cette chanson? Qu'est-ce qu'une «complainte»?
2. Sur quelle confrontation repose le texte? Justifiez votre réponse en relevant les adverbes et les temps des verbes. Quels sont les deux champs lexicaux qui s'opposent dans les deux premiers couplets?
3. À partir du deuxième couplet, qui parle et à qui s'adresse-t-il? Comment s'y prend ce personnage pour faire sa déclaration d'amour?
4. Expliquez comment la société de consommation a transformé le jeu de la séduction et les ruptures amoureuses.

La séduction des objets

1. Quelle figure de style identifiez-vous dans les deuxième et quatrième couplets? Quel est l'effet produit?
2. Classez les différents objets selon qu'ils sont réels ou imaginaires.
3. À partir du quatrième couplet, remarquez-vous une évolution dans les objets mentionnés? Quel terme est répété dans les vers 28-31? Quelle est cette figure de style? Que veut montrer l'auteur ici?
4. Quel est le niveau de langue employé par l'auteur? Dans quel but, selon vous?
5. Pourquoi le dernier couplet est-il répété trois fois?
6. Quel sens donnez-vous au titre de cette chanson, «La Complainte du progrès»?

Parcours de lecture n° 3 : une ville et une poésie contrastées

Relisez « Contrastes » de Blaise Cendrars (p. 72) et répondez aux questions suivantes en vous appuyant sur le texte.

Une peinture personnelle de la ville

1. Quelle figure de style identifiez-vous dans le premier vers ? Relevez-en un autre exemple dans la première strophe.
2. Qui parle dans le poème et à quelle personne ? Relevez les verbes qui s'y rapportent dans l'ensemble du poème. À qui s'adresse-t-il ? Justifiez votre réponse en citant un verbe de la première strophe.
3. Dressez la liste des tournures impersonnelles employées par le poète.
4. Quelle posture adopte Blaise Cendrars par rapport à la ville ? Qu'en déduisez-vous sur le rôle du poète dans le monde contemporain ?
5. Relevez les objets quotidiens et les métiers mentionnés dans le texte. Sont-ils poétiques, au sens traditionnel du terme ?
6. Parmi les cinq sens, lesquels sont convoqués par le poète ? Donnez des exemples précis.
7. « Les sonnettes acharnées des tramways/ Il pleut des globes électriques ». Quels sons se répètent dans ces vers ? Comment s'appellent ces procédés poétiques ?
8. Citez le vers le plus court et le vers le plus long. Combien de syllabes chacun comporte-t-il ? Quelle impression se dégage d'une telle variation de rythme ?

Une vision contrastée

1. Dans le quatrième vers, quels sont les deux mondes qui s'opposent ? Vous chercherez d'autres termes qui se rapportent à ces deux univers et vous les classerez dans un tableau à deux colonnes.

2. Identifiez les cinq derniers vers d'après leur nombre de syllabes. Comment interprétez-vous ce passage ? Dans le reste du poème, quels autres indices traduisent la même impression ?
3. Recherchez la signification du mot « contraste » et justifiez le choix de ce terme comme titre du poème.

Parcours de lecture n° 4 : rêves de voyages

Relisez « Îles » de Jean Cocteau (p. 97) et répondez aux questions suivantes en vous appuyant sur le texte.

Voyage réel et voyage rêvé

1. Qui parle dans le poème ? Quels sont ses différents destinataires ?
2. Quelles destinations lointaines et quels voyages Cocteau évoque-t-il ?
3. À quels indices voit-on que le poète mélange le rêve et la réalité ? Dans les deux dernières strophes, repérez deux figures de style qui le montrent.
4. En quoi le vocabulaire employé par le poète met-il en parallèle rêve et réalité ?

Voyage poétique

1. Quels sont les charmes des bords de Marne ? Relevez les images poétiques qui les décrivent.
2. Quels sentiments Cocteau exprime-t-il dans ce poème ? Est-il amer ?
3. Quelle est la visée de ce poème, d'après vous ?
4. Quels sont les types de vers et de strophe utilisés ? Le poème comporte-t-il des rimes ? Relevez deux diérèses. Quel effet ces jeux sonores produisent-ils sur le lecteur ?

Questions de synthèse

1. Observez l'utilisation de la ponctuation dans chaque texte de l'anthologie. Que remarquez-vous ?
2. Qu'est-ce qu'une image poétique ? Sur quels procédés précis le poète peut-il s'appuyer pour la créer ? Justifiez votre réponse en citant des exemples tirés de l'anthologie.
3. Quelles sont les formes poétiques les plus utilisées ?
4. Les formes poétiques classiques (rimes, alexandrins, formes fixes comme le sonnet) sont-elles encore représentées ? Lorsque c'est le cas, en quoi la poésie contemporaine se démarque-t-elle de la poésie traditionnelle ?
5. En quoi la poésie peut-elle constituer un discours argumentatif ? Donnez des exemples de thèses que défendent les poèmes de cette anthologie.
6. Quels rôles peut-on attribuer au poète contemporain ?

Travaux d'écriture

1. Dans un dictionnaire, recopiez la définition d'un objet quotidien de votre choix. Puis, à la manière de Francis Ponge (p. 56), écrivez un court poème en prose donnant à la fois une description de cet objet et la vision personnelle que vous en avez. Vous utiliserez les procédés poétiques étudiés (métaphore, personnification, oxymore, etc.).
2. À la manière de Blaise Cendrars dans « Îles » (p. 95), écrivez un court poème en prose (ou en vers) où vous décrirez des îles imaginaires et idéales. Vous devez commencer par ces vers : « Îles/ Îles/ Îles où... », et continuer l'anaphore.

3. À la manière de Robert Desnos (p. 78), écrivez un poème en vers libres, à la première personne, sur le quartier où vous habitez. Vous décrirez le plus précisément possible ses rues, ses commerces, ses habitants, mais aussi son rythme et les impressions qui se dégagent de ce quartier. Vous utiliserez des images poétiques (à l'aide de comparaisons, de métaphores, de personnifications, etc.). Dans ce texte, vous porterez un jugement sur la réalité qui vous entoure.

4. En 2000, le poète Jacques Jouet[1] a proposé une méthode pour l'écriture de « poème de métro ». Il s'agit d'imaginer chaque vers pendant que le métro roule d'une station à une autre, et de l'écrire lorsqu'il est à l'arrêt. Votre poème comporte donc autant de vers que de stations parcourues. Vous pouvez appliquer cette même méthode pour un trajet en bus ou en tramway, par exemple.

Groupement de textes n° 1 : un poète dans la ville

Baudelaire, « Le Soleil », 1857

Entre deux voyages en Afrique et en Orient, le poète français Charles Baudelaire (1821-1867) mène à Paris une vie de bohème[2]. Son existence fait scandale et son recueil, *Les Fleurs du mal*, publié en 1857, est condamné au tribunal pour outrage à la morale publique. On lui reproche de décrire le mal, la perver-

---

1. ***Jacques Jouet*** (né en 1947) : écrivain français, membre de l'OuLiPo depuis 1983.

2. ***Vie de bohème*** : vie au jour le jour, insouciante.

sité, la laideur et la pauvreté des hommes, objets jugés indignes de la poésie.
Les Fleurs du mal sont composées de sections, dont la deuxième se nomme « Tableaux parisiens ». Comme l'annonce son titre, le thème principal de cette section est la ville, qui prend alors une place nouvelle en poésie. Baudelaire met en scène la vie de la capitale dans tout ce qu'elle peut comporter de misères, de souffrances solitaires, mais aussi de beautés étonnantes. Le poète, errant dans la ville, se charge de sublimer ces spectacles oubliés, tel le soleil qui illumine la noirceur du paysage urbain.

Le long du vieux faubourg, où pendent aux masures[1]
Les persiennes[2], abri des secrètes luxures[3],
Quand le soleil cruel frappe à traits redoublés
Sur la ville et les champs, sur les toits et les blés,
Je vais m'exercer seul à ma fantasque[4] escrime,
Flairant dans tous les coins les hasards de la rime,
Trébuchant sur les mots comme sur les pavés,
Heurtant parfois des vers depuis longtemps rêvés.

Ce père nourricier, ennemi des chloroses[5],
Éveille dans les champs les vers comme les roses ;
Il fait s'évaporer les soucis vers le ciel,
Et remplit les cerveaux et les ruches de miel.
C'est lui qui rajeunit les porteurs de béquilles
Et les rend gais et doux comme des jeunes filles,
Et commande aux moissons de croître[6] et de mûrir
Dans le cœur immortel qui toujours veut fleurir !

---

1. ***Masures*** : maisons délabrées.
2. ***Persiennes*** : volets composés de différentes lames en bois laissant passer la lumière.
3. ***Luxures*** : excès dans les plaisirs sexuels.
4. ***Fantasque*** : farfelue, originale.
5. ***Chloroses*** : décolorations des feuilles.
6. ***Croître*** : pousser, grandir.

Quand, ainsi qu'un poète, il descend dans les villes,
Il ennoblit le sort des choses les plus viles[1],
Et s'introduit en roi, sans bruit et sans valets,
Dans tous les hôpitaux[2] et dans tous les palais.

Charles Baudelaire, «Le Soleil», *Les Fleurs du mal*, éd. A. Princen, Flammarion, coll. «Étonnants Classiques», 2008, p. 164-165.

Questions

1. Sur quelle opposition est construit le poème de Baudelaire ?
2. Identifiez les types de vers et de strophes, et la disposition des rimes.
3. Quel est le rôle attribué au poète ?
4. En quoi ce poème évoque-t-il la modernité des villes tout en se rattachant à la tradition poétique ?

Paul Verlaine, «Croquis parisien», 1866

Le poète Paul Verlaine (1844-1896), originaire de Metz, s'installe à Paris avec sa famille à partir de 1851. Il commence très jeune sa carrière littéraire : il envoie à quatorze ans un poème à Victor Hugo et, dès vingt et un ans, devient critique littéraire et fait l'éloge de Hugo et de Baudelaire.
Son premier recueil, *Poèmes saturniens*, est placé sous le signe de Saturne, planète symbolisant la mélancolie. On décèle dans cette œuvre de jeunesse toute l'admiration que Verlaine porte à Baudelaire, son aîné : reprenant le thème de la ville, il réalise un «Croquis» là où Baudelaire peignait des «Tableaux parisiens». Mais Verlaine apporte à ce motif baudelairien sa touche personnelle, en proposant un rythme inédit produit par le mélange de décasyllabes et de pentasyllabes, sous forme de

1. ***Viles*** : basses, méprisables.
2. ***Hôpitaux*** : au XIXe siècle, hospices, refuges des pauvres et des malades.

trois quatrains. La ville de Verlaine prend alors des couleurs à la fois étranges et familières.

La lune plaquait ses teintes de zinc[1]
Par angles obtus.
Des bouts de fumée en forme de cinq
Sortaient drus[2] et noirs des hauts toits pointus.

Le ciel était gris. La bise[3] pleurait
Ainsi qu'un basson[4].
Au loin, un matou frileux et discret
Miaulait d'étrange et grêle[5] façon.

Moi, j'allais, rêvant du divin Platon
Et de Phidias,
Et de Salamine et de Marathon[6],
Sous l'œil clignotant des bleus becs de gaz[7].

Paul Verlaine, « Croquis parisien », *Poèmes saturniens*, éd. F.-X. Hervouët, Flammarion, coll. « Étonnants Classiques », 2011, p. 69-70.

Questions

1. Identifiez les types de vers et de strophes de ce poème, ainsi que la disposition des rimes.
2. Quels éléments du décor montrent la modernité de la ville ? Avec quelles références contrastent-ils ?

---

1. ***Zinc*** : métal de couleur blanc bleuté.
2. ***Drus*** : épais.
3. ***La bise*** : le vent sec et froid.
4. ***Basson*** : instrument à vent émettant des sons graves.
5. ***Grêle*** : aiguë, stridente.
6. ***Platon*** (v. 428 av. J.-C.-v. 348 av. J.-C.) : philosophe célèbre de l'Antiquité grecque. ***Phidias*** (v. 490 av. J.-C.-v. 430 av. J.-C.) : sculpteur athénien. ***Salamine*** : île de Grèce. ***Marathon*** : ville de Grèce. Au Ve siècle av. J.-C., ces deux lieux furent le théâtre de célèbres batailles.
7. ***Becs de gaz*** : réverbères.

3. Relevez les détails qui font l'objet d'une description. Lesquels sont personnifiés ? Quel est l'effet produit ?
4. Quels sont les différents sens évoqués ?
5. Quelle image de la ville se dégage de ce poème ?

Émile Verhaeren, « La Ville », 1893

Écrivain belge né dans une famille francophone, Émile Verhaeren (1855-1916) abandonne ses études de droit pour se consacrer à la poésie. Dans un monde en pleine mutation où le paysage urbain et les conditions de travail se modifient, Verhaeren découvre la réalité du monde ouvrier, lors d'une prise de conscience brutale qui l'entraîne dans une grave dépression. Son œuvre poétique vise à retranscrire l'existence moderne, rurale ou urbaine, notamment dans ses deux recueils les plus connus, *Les Campagnes hallucinées* en 1893 et *Les Villes tentaculaires* en 1895.
Très populaire dans toute l'Europe, la modernité de son écriture poétique a beaucoup inspiré Blaise Cendrars et Guillaume Apollinaire. Dans des vers libres d'une grande puissance évocatrice, le poète exprime sa fascination pour l'évolution des grandes villes (nouveaux moyens de transport, transformations architecturales, etc.) et pour l'industrialisation à outrance qui entraîne la désertification des campagnes ; mais il révèle également la misère sociale du monde moderne. Dans « La Ville », poème dont le refrain « C'est la ville tentaculaire » annonce le nom de son futur recueil, Verhaeren se montre tour à tour auteur réaliste et visionnaire halluciné. Son écriture poétique est à la limite du genre fantastique.

Tous les chemins vont vers la ville.

Du fond des brumes,
Avec tous ses étages en voyage
Jusques au[1] ciel, vers de plus hauts étages,
Comme d'un rêve, elle s'exhume[2].

Là-bas,
Ce sont des ponts musclés de fer,
Lancés, par bonds, à travers l'air;
Ce sont des blocs et des colonnes
Que décorent Sphinx[3] et Gorgones[4];
Ce sont des tours sur des faubourgs;
Ce sont des millions de toits
Dressant au ciel leurs angles droits :
C'est la ville tentaculaire,
Debout,
Au bout des plaines et des domaines.

Des clartés rouges
Qui bougent
Sur des poteaux et des grands mâts,
Même à midi, brûlent encor[5]

---

1. ***Jusques au*** : jusqu'au (licence poétique pour obtenir le bon nombre de syllabes dans le vers).
2. ***S'exhume*** : se sort de terre.
3. ***Sphinx*** : créature de la mythologie grecque, avec un buste de femme, des pattes de lion et des ailes d'oiseau. Selon la légende, ce monstre se tenait devant la ville de Thèbes et posait aux passants la fameuse énigme : « Qu'est-ce qui marche à quatre pattes le matin, à deux pattes le midi et à trois pattes le soir ? » La réponse est l'homme. Œdipe parvint à résoudre l'énigme, libérant ainsi Thèbes des attaques de la bête.
4. ***Gorgones*** : créatures effrayantes de la mythologie grecque, avec un visage de femme et une chevelure de serpents. La plus célèbre était Méduse, dont le regard pétrifiait ceux qui le croisaient.
5. ***Encor*** : encore (le *-e* est élidé pour maintenir la rime en *-or*).

Comme des œufs de pourpre et d'or;
Le haut soleil ne se voit pas :
Bouche de lumière, fermée
Par le charbon et la fumée.

Un fleuve de naphte[1] et de poix[2]
Bat les môles[3] de pierre et les pontons de bois;
Les sifflets crus des navires qui passent
Hurlent de peur dans le brouillard;
Un fanal[4] vert est leur regard
Vers l'océan et les espaces.

Des quais sonnent aux chocs de lourds fourgons;
Des tombereaux[5] grincent comme des gonds;
Des balances de fer font choir des cubes d'ombre
Et les glissent soudain en des sous-sols de feu;
Des ponts s'ouvrant par le milieu,
Entre les mâts touffus dressent des gibets[6] sombres
Et des lettres de cuivre inscrivent l'univers,
Immensément, par à travers
Les toits, les corniches et les murailles,
Face à face, comme en bataille.

Et tout là-bas passent chevaux et roues,
Filent les trains, vole l'effort,
Jusqu'aux gares, dressant, telles des proues
Immobiles, de mille en mille, un fronton[7] d'or.

---

1. ***Naphte*** : pétrole brut.
2. ***Poix*** : matière collante utilisée pour rendre les matériaux étanches.
3. ***Môles*** : jetées situées à l'entrée d'un port pour le protéger des vagues.
4. ***Fanal*** : feu servant de repère.
5. ***Tombereaux*** : charrettes tirées par des chevaux ou des bœufs et qui servaient au transport de marchandises.
6. ***Gibets*** : structures en bois utilisées pour l'exécution par pendaison.
7. ***Fronton*** : ornement vertical, souvent triangulaire, au-dessus de l'entrée d'un édifice.

Des rails ramifiés[1] y descendent sous terre
Comme en des puits et des cratères
Pour reparaître en réseaux clairs d'éclairs
Dans le vacarme et la poussière.
C'est la ville tentaculaire.
[...]

Émile Verhaeren, «La Ville» [1893], *Les Campagnes hallucinées. Les Villes tentaculaires*, Gallimard, coll. «Poésie», 1982, p. 21-22.

Questions

1. Relevez les termes qui montrent que la ville est décrite dans une perspective verticale.
2. Quelles indications contribuent à donner une impression de mouvement ?
3. Avec quels sens le poète perçoit-il la ville ? Justifiez votre réponse en relevant des champs lexicaux.
4. La ville apparaît-elle comme réelle ou imaginaire ?
5. Quel est l'effet produit par le vers «C'est la ville tentaculaire» ? Quelle impression se dégage de la cité décrite par Verhaeren ? Vous donne-t-elle envie d'y habiter ?
6. Quelle est la forme de ce poème ? D'après vous, pourquoi le poète a-t-il fait ce choix ?

Groupement de textes n° 2 : invitations aux voyages

Baudelaire, «L'Invitation au voyage», 1857

Lorsque Charles Baudelaire a vingt ans, sa famille décide de lui offrir une série de voyages, afin de l'éloigner de ses mauvaises

1. ***Ramifiés*** : divisés.

fréquentations parisiennes et de faire cesser sa vie dissolue. Le poète part notamment en Inde, à Calcutta, ainsi qu'aux îles Mascareignes (actuelles île Maurice et île de la Réunion). Ces voyages de jeunesse lui inspireront les images exotiques que l'on retrouve dans grand nombre de ses poèmes. Le plus célèbre d'entre eux est son « Invitation au voyage », réel et imaginaire, qu'il dédie à l'une de ses muses, Marie Daubrun.

Mon enfant, ma sœur,
Songe à la douceur
D'aller là-bas vivre ensemble !
Aimer à loisir[1],
Aimer et mourir
Au pays qui te ressemble !
Les soleils mouillés
De ces ciels brouillés
Pour mon esprit ont les charmes
Si mystérieux
De tes traîtres yeux,
Brillant à travers leurs larmes.

Là, tout n'est qu'ordre et beauté,
Luxe, calme et volupté[2].

Des meubles luisants,
Polis par les ans,
Décoreraient notre chambre ;
Les plus rares fleurs
Mêlant leurs odeurs
Aux vagues senteurs de l'ambre[3],
Les riches plafonds,

---

1. ***À loisir*** : à volonté.
2. ***Volupté*** : plaisir intense des sens.
3. ***Ambre*** : substance au parfum exotique très subtil.

Les miroirs profonds,
La splendeur orientale,
Tout y parlerait
À l'âme en secret
Sa douce langue natale.

Là, tout n'est qu'ordre et beauté,
Luxe, calme et volupté.

Vois sur ces canaux[1]
Dormir ces vaisseaux[2]
Dont l'humeur est vagabonde;
C'est pour assouvir[3]
Ton moindre désir
Qu'ils viennent du bout du monde.
– Les soleils couchants
Revêtent les champs,
Les canaux, la ville entière,
D'hyacinthe[4] et d'or;
Le monde s'endort
Dans une chaude lumière.

Là, tout n'est qu'ordre et beauté,
Luxe, calme et volupté.

Charles Baudelaire, «L'Invitation au voyage», *Les Fleurs du mal*, éd. A. Princen, Flammarion, coll. «Étonnants Classiques», 2008, p. 122-123.

Questions

1. À qui s'adresse Baudelaire dans ce poème? En quoi ce texte est-il une «invitation»?

---

1. ***Canaux*** : voies fluviales.
2. ***Vaisseaux*** : navires.
3. ***Assouvir*** : satisfaire.
4. ***Hyacinthe*** : pierre précieuse de couleur orangée.

2. Comment qualifieriez-vous le paysage décrit par Baudelaire ? Relevez les termes qui se rapportent aux cinq sens. Quels indices révèlent que ce lieu idéal est imaginaire ?
3. Quels schémas de rimes le poète emploie-t-il ? Quels types de vers reconnaissez-vous ? Quel effet produit ce rythme ?

Baudelaire, « L'Invitation au voyage », 1869

Dès 1855, Charles Baudelaire commence à rédiger les *Petits poèmes en prose*. Cet ouvrage révolutionne l'écriture poétique et annonce la modernité : en effet, Baudelaire est l'un des premiers à considérer qu'un texte peut être un « poème », même s'il ne comporte pas de vers ou de rimes. L'autre titre de son recueil, *Le Spleen de Paris*, fait penser à « Spleen et Idéal », la première section des *Fleurs du mal*. Cette ressemblance se retrouve dans les thèmes des deux ouvrages.
Dans le texte ci-dessous, il récrit en prose son poème en vers « L'Invitation au voyage ». Une telle récriture, inédite dans l'histoire de la poésie, annonce les jeux entre prose, vers et vers libres des poètes du XXe siècle.

Il est un pays superbe, un pays de Cocagne[1], dit-on, que je rêve de visiter avec une vieille amie. Pays singulier, noyé dans les brumes de notre Nord, et qu'on pourrait appeler l'Orient de l'Occident, la Chine de l'Europe, tant la chaude et capricieuse fantaisie s'y est donné carrière, tant elle l'a patiemment et opiniâtrement[2] illustré de ses savantes et délicates végétations.

---

1. ***Pays de Cocagne*** : pays imaginaire où tout se trouve en abondance. L'expression « pays de cocagne » (sans la majuscule) est passée dans le langage courant. En gardant la majuscule, Baudelaire présente ce lieu comme un pays réel.
2. ***Opiniâtrement*** : avec obstination, de manière têtue.

Un vrai pays de Cocagne, où tout est beau, riche, tranquille, honnête; où le luxe a plaisir à se mirer[1] dans l'ordre; où la vie est grasse et douce à respirer; d'où le désordre, la turbulence et l'imprévu sont exclus; où le bonheur est marié au silence; où la cuisine elle-même est poétique, grasse et excitante à la fois; où tout vous ressemble, mon cher ange.

Tu connais cette maladie fiévreuse qui s'empare de nous dans les froides misères, cette nostalgie du pays qu'on ignore, cette angoisse de la curiosité? Il est une contrée qui te ressemble, où tout est beau, riche, tranquille et honnête, où la fantaisie a bâti et décoré une Chine occidentale, où la vie est douce à respirer, où le bonheur est marié au silence. C'est là qu'il faut aller vivre, c'est là qu'il faut aller mourir!

Oui, c'est là qu'il faut aller respirer, rêver et allonger les heures par l'infini des sensations. Un musicien a écrit l'*Invitation à la valse*[2]; quel est celui qui composera l'*Invitation au voyage*[3], qu'on puisse offrir à la femme aimée, à la sœur d'élection?

Oui, c'est dans cette atmosphère qu'il ferait bon vivre, – là-bas, où les heures plus lentes contiennent plus de pensées, où les horloges sonnent le bonheur avec une plus profonde et plus significative solennité[4].

Sur des panneaux luisants, ou sur des cuirs dorés et d'une richesse sombre, vivent discrètement des peintures béates[5], calmes et profondes, comme les âmes des artistes qui les créèrent. Les soleils couchants, qui colorent si richement la salle à manger ou le salon, sont tamisés par de belles étoffes ou par ces hautes fenêtres ouvragées que le plomb divise en nombreux compartiments. Les meubles sont vastes, curieux, bizarres, armés de serrures et de secrets comme

---

1. ***Se mirer*** : se refléter.

2. ***Invitation à la valse*** : petite pièce symphonique du musicien allemand Carl Maria von Weber (1786-1826).

3. On peut penser qu'il s'agit ici d'une référence du poète à son propre poème en vers, « L'Invitation au voyage ».

4. ***Solennité*** : majesté.

5. ***Béates*** : marquées par la béatitude, forme suprême de bonheur.

des âmes raffinées. Les miroirs, les métaux, les étoffes, l'orfèvrerie[1] et la faïence[2] y jouent pour les yeux une symphonie muette et mystérieuse; et de toutes choses, de tous les coins, des fissures des tiroirs et des plis des étoffes s'échappe un parfum singulier, un *revenez-y* de Sumatra[3], qui est comme l'âme de l'appartement.

Un vrai pays de Cocagne, te dis-je, où tout est riche, propre et luisant, comme une belle conscience, comme une magnifique batterie de cuisine, comme une splendide orfèvrerie, comme une bijouterie bariolée! Les trésors du monde y affluent, comme dans la maison d'un homme laborieux et qui a bien mérité du monde entier. Pays singulier, supérieur aux autres, comme l'Art l'est à la Nature, où celle-ci est réformée par le rêve, où elle est corrigée, embellie, refondue.

Qu'ils cherchent, qu'ils cherchent encore, qu'ils reculent sans cesse les limites de leur bonheur, ces alchimistes[4] de l'horticulture! Qu'ils proposent des prix de soixante et de cent mille florins pour qui résoudra leurs ambitieux problèmes! Moi, j'ai trouvé ma *tulipe noire* et mon *dahlia bleu*[5]!

Fleur incomparable, tulipe retrouvée, allégorique dahlia, c'est là, n'est-ce pas, dans ce beau pays si calme et si rêveur, qu'il faudrait aller vivre et fleurir? Ne serais-tu pas encadrée dans ton analogie[6], et ne pourrais-tu pas te mirer[7], pour parler comme les mystiques[8], dans ta propre correspondance?

---

1. ***L'orfèvrerie*** : les objets en métal précieux.
2. ***Faïence*** : céramique recouverte d'émail ou de vernis.
3. ***Sumatra*** : la plus grande des îles d'Indonésie, dans l'océan Pacifique.
4. ***Alchimistes*** : qui pratiquent l'alchimie, l'art de rendre une matière parfaite en lui ôtant ses impuretés.
5. *La Tulipe noire* est un roman d'Alexandre Dumas publié en 1850. Dans ce roman, une société horticole offre une récompense de cent mille florins à quiconque sera capable de créer une tulipe noire. «Le Dahlia bleu» est une chanson de Pierre Dupont, dont la préface au recueil *Chants et Chansons* fut rédigée par Baudelaire.
6. ***Analogie*** : rapport de ressemblance entre deux objets différents.
7. ***Te mirer*** : te refléter, te regarder.
8. ***Mystiques*** : croyants dont la foi intense vise une union intime avec la divinité.

Des rêves ! toujours des rêves ! et plus l'âme est ambitieuse et délicate, plus les rêves l'éloignent du possible. Chaque homme porte en lui sa dose d'opium naturel, incessamment sécrétée et renouvelée, et, de la naissance à la mort, combien comptons-nous d'heures remplies par la jouissance positive, par l'action réussie et décidée ? Vivrons-nous jamais, passerons-nous jamais dans ce tableau qu'a peint mon esprit, ce tableau qui te ressemble ?

Ces trésors, ces meubles, ce luxe, cet ordre, ces parfums, ces fleurs miraculeuses, c'est toi. C'est encore toi, ces grands fleuves et ces canaux[1] tranquilles. Ces énormes navires qu'ils charrient[2], tout chargés de richesses, et d'où montent les chants monotones de la manœuvre, ce sont mes pensées qui dorment ou qui roulent sur ton sein. Tu les conduis doucement vers la mer qui est l'Infini, tout en réfléchissant les profondeurs du ciel dans la limpidité[3] de ta belle âme ; – et quand, fatigués par la houle et gorgés des produits de l'Orient, ils rentrent au port natal, ce sont encore mes pensées enrichies qui reviennent de l'Infini vers toi.

Charles Baudelaire, « L'Invitation au voyage », *Le Spleen de Paris*, éd. D. Scott et B. Wright, GF-Flammarion, 2012, p. 109.

Questions

1. Comparez ce poème en prose avec sa version versifiée (voir p. 126). En quoi ce texte en prose reste-t-il poétique ?
2. Comparez le message de Baudelaire avec le poème du même titre de Raymond Queneau.

Stéphane Mallarmé, « Brise marine », 1865

Tout en exerçant le métier de professeur d'anglais, Stéphane Mallarmé (1842-1898) devient une grande figure de la littéra-

---

1. ***Canaux*** : voies fluviales.
2. ***Charrient*** : transportent.
3. ***Limpidité*** : clarté.

ture de la fin du XIXe siècle. Il traduit de nombreux poèmes de l'Américain Edgar Allan Poe (1809-1849) et fréquente le romancier Émile Zola (1840-1902) et le peintre Édouard Manet (1832-1883). Admiré par Verlaine, il fonde le mouvement symboliste, qui recherche la signification cachée et supérieure des choses, par opposition au mouvement réaliste, qui s'attache à décrire la réalité dans ce qu'elle a de plus concret. Parmi ses œuvres poétiques les plus célèbres, on compte *L'Après-midi d'un faune* (1876) ou *Un coup de dés jamais n'abolira le hasard* (1897).
« Brise marine » est un poème de jeunesse, de seize vers. Sur les traces de Baudelaire, le poète chante son désir d'ailleurs, dans des envolées lyriques où l'appel du large vient combler un quotidien morne. Ce voyage plus rêvé que réel devient une source infinie d'inspiration et symbolise l'écriture poétique.

La chair est triste, hélas ! et j'ai lu tous les livres.
Fuir ! là-bas fuir ! Je sens que des oiseaux sont ivres
D'être parmi l'écume inconnue et les cieux !
Rien, ni les vieux jardins reflétés par les yeux
Ne retiendra ce cœur qui dans la mer se trempe
Ô nuits ! ni la clarté déserte de ma lampe
Sur le vide papier que la blancheur défend
Et ni la jeune femme allaitant son enfant.
Je partirai ! Steamer[1] balançant ta mâture[2],
Lève l'ancre pour une exotique nature !
Un Ennui, désolé par les cruels espoirs,
Croit encore à l'adieu suprême des mouchoirs !
Et, peut-être, les mâts, invitant les orages,
Sont-ils de ceux qu'un vent penche sur les naufrages
Perdus, sans mâts, sans mâts, ni fertiles îlots…
Mais, ô mon cœur, entends le chant des matelots !

Stéphane Mallarmé, « Brise marine », *Poésies*, éd. L.-J. Austin, GF-Flammarion, 2009, p. 61.

---

1. *Steamer* : navire à vapeur.
2. *Mâture* : ensemble des mâts d'un navire.

Questions

1. Que refuse Mallarmé et qu'est-ce qui le pousse au départ? Quelle figure de style le souligne?
2. Quel est le schéma de rimes utilisé? Quel est l'effet produit?
3. Décrivez le périple dont rêve Mallarmé.
4. En quoi ce voyage est-il une source d'inspiration pour le poète?

Arthur Rimbaud, «Ma Bohême[1]», 1870

Né à Charleville-Mézières, dans les Ardennes, Arthur Rimbaud (1854-1891) fait figure de prodige dans la poésie française. C'est un élève brillant, lauréat de nombreux prix, poète virtuose et enfant terrible. Il fugue régulièrement à Charleroi, Bruxelles et Paris, où il s'engage au côté de la Commune[2] en 1871. Sa rencontre avec Paul Verlaine sera déterminante : les deux poètes deviendront amants et parcourront ensemble la Belgique et l'Angleterre. Lorsque leur relation, orageuse, s'achève brutalement[3], Rimbaud poursuit sa vie de voyage et traverse toute l'Europe, y compris à pied. Il passe ainsi le reste de son existence à parcourir le monde : il devient chef de chantier à Chypre, commerçant en Égypte, trafiquant d'armes en Éthiopie... Il meurt à Marseille à trente-sept ans, des suites d'une tumeur au genou. On lui doit les célèbres recueils *Une saison en enfer* (publié en 1873) et *Illuminations* (publié en 1886).

Dès l'âge de seize ans, Rimbaud a multiplié les fugues pour échapper à sa ville natale et au carcan familial. Ses fuites à répé-

1. ***Bohême*** : vie au jour le jour, dans l'insouciance.
2. ***Commune de Paris*** : gouvernement révolutionnaire formé à Paris de mars à mai 1871.
3. Dans un accès de jalousie, Paul Verlaine tire un coup de feu sur Arthur Rimbaud, le blessant très légèrement au bras. Verlaine sera jugé et condamné à deux ans de prison.

tition et son errance permanente, gage de liberté, ont influencé très tôt son écriture poétique, comme le montre ce texte, qui fait l'éloge de la vie de bohème.

Je m'en allais, les poings dans mes poches crevées;
Mon paletot[1] aussi devenait idéal;
J'allais sous le ciel, Muse[2]! et j'étais ton féal[3];
Oh! là là! que d'amours splendides j'ai rêvées!

Mon unique culotte[4] avait un large trou.
– Petit-Poucet rêveur, j'égrenais dans ma course
Des rimes. Mon auberge était à la Grande-Ourse[5].
Mes étoiles au ciel avaient un doux frou-frou

Et je les écoutais, assis au bord des routes,
Ces bons soirs de septembre où je sentais des gouttes
De rosée à mon front, comme un vin de vigueur[6];

Où, rimant au milieu des ombres fantastiques,
Comme des lyres[7], je tirais les élastiques
De mes souliers blessés, un pied près de mon cœur!

Arthur Rimbaud, «Ma Bohême», *Poésies*, éd. S. Thonnerieux, Flammarion, coll. «Étonnants Classiques», 2013, p. 75-76.

---

1. ***Mon paletot*** : ma veste.
2. ***Muse*** : déesse de la poésie dans la mythologie grecque. Les Muses sont les neuf filles de Zeus et de Mnémosyne (déesse de la mémoire).
3. ***Féal*** : homme lige, fidèle serviteur (terme médiéval).
4. ***Culotte*** : pantalon court, allant de la taille aux genoux.
5. ***Grande-Ourse*** : nom d'une constellation. Le poète indique ici qu'il dort à la belle étoile.
6. ***Vigueur*** : force.
7. ***Lyres*** : instruments de musique à cordes, proches de la harpe et symbolisant la poésie. Elles accompagnent certains poèmes antiques.

Questions

1. Qui parle dans ce poème ? À qui s'adresse-t-il ?
2. Identifiez la forme de ce poème en vous aidant de la disposition des strophes et des rimes.
3. Relevez les champs lexicaux de la vie de bohème et de la poésie.
4. Quelle figure de style reconnaissez-vous dans la dernière strophe ? Que suggère-t-elle ?
5. Quel double sens a le mot « pied » dans le dernier vers ?
6. En quoi la vie de bohème est-elle une source d'inspiration pour Rimbaud ?

Lecture de l'image

Le rôle du poète contemporain (cahier photos, p. 1)

1. Identifiez le document dont Brassaï est l'auteur : quelle est sa nature ? Que représente-t-il ?
2. Par quels procédés Brassaï met-il en valeur le personnage présent sur cette image ?
3. Quelle portée symbolique peut-on accorder à ce geste ? En quoi pourrait-il servir à décrire le rôle du poète ?
4. Décrivez précisément le tableau de Delaunay.
5. Comment est représenté le poète dans cette peinture ? En quoi illustre-t-il les différents regards que le poète contemporain porte sur le monde ?

Le poète dans la ville : entre enchantement et désenchantement (cahier-photos, p. 2-3)

1. Dans quel(s) document(s) la ville et la modernité apparaissent-elles de manière positive ? Par quels procédés ?
2. Dans quel(s) document(s) la ville et la modernité apparaissent-elles de manière négative ? Par quels procédés ?
3. Parcourez les poèmes de l'anthologie sur le thème de la ville. Retrouvez des vers qui pourraient illustrer ces deux visions de l'espace urbain moderne.
4. Quelles impressions se dégagent des objets figurant dans l'œuvre d'Arman ? Rapprochez cette œuvre de la chanson de Boris Vian, « La Complainte du progrès » (p. 60).
5. Imaginez des objets dont vous pourriez photographier l'accumulation. Expliquez pourquoi.

Le paysage intérieur (cahier-photos, p. 4)

Observez les dessins de Michaux. Pouvez-vous y distinguer des figures ? En quoi ces esquisses pourraient-elles illustrer son poème ? D'après vous, que signifie le titre *L'Espace du dedans* que le poète a donné à son recueil ? Trouvez une expression synonyme.

Indications bibliographiques

GLEIZE, J.-M., *La Poésie. Textes critiques XVIe et XXe siècles*, Larousse, 1995.

JOUBERT, J.-L., *La Poésie*, Armand Colin, 2003.

Leuwers, D., *Introduction à la poésie moderne et contemporaine*, Bordas, 1990.
Pinson, J.-C., *Habiter en poète. Essai sur la poésie contemporaine*, Seyssel, Champ Vallon, 1995.

Rappel des figures de style essentielles

Figures de style	Définitions	Exemples	Effets produits
Les figures d'analogie : les images			
Comparaison	Figure qui rapproche un comparé (ce dont on parle) d'un comparant (ce qui lui ressemble). L'outil de comparaison est apparent : « comme », « tel que », « à l'image de »...	« les mêmes nuages comme des chapeaux » (Jacques Réda, « Aux environs »).	Elle met en évidence des ressemblances.
Métaphore	Comparaison sans outil de comparaison. Le comparé et les points communs peuvent ne pas être mentionnés.	« Les fenêtres de ma poésie sont grand'ouvertes sur les boulevards » (Blaise Cendrars, « Contrastes »).	Elle assimile les deux objets comparés tout en leur donnant une tonalité poétique.
Personnification	Figure qui consiste à attribuer les caractéristiques de l'humain à ce qui ne l'est pas (animal, objet...).	« couteau peu franc » (Francis Ponge, « L'Huître »).	Elle crée un effet de surprise.
Les figures d'insistance			
Anaphore	On répète le même mot ou groupe de mots au début de plusieurs vers.	« Îles/ Îles/ Îles où l'on ne prendra jamais terre » (Blaise Cendrars, « Îles »).	Elle met en évidence un thème récurrent, une obsession.

Énumération	Figure d'accumulation qui détaille un ensemble en donnant, à la suite, les différents éléments qui le composent.	« Un frigidaire, un joli scooter, un atomixer/ Et du Dunlopillo » (Boris Vian, « La Complainte du progrès »).	Elle produit un effet d'insistance et de surenchère.
Parallélisme	On utilise une même syntaxe dans deux vers ou deux phrases qui se suivent.	« Aux alluvions du corps/ Aux éruptions de l'âme » (Andrée Chedid, « La vie voyage »).	Il rythme la phrase.
Apostrophe	On interpelle le destinataire de son discours.	« ô tour Eiffel » (Guillaume Apollinaire, « Zone »).	Elle met en valeur le destinataire et le somme de prendre acte de ce qui est dit.
Les figures d'opposition			
Oxymore	Deux termes de sens contraire coexistent dans une même expression.	« dentelle noirâtre » (Francis Ponge, « L'Huître »).	Il sert à mettre en lumière un fait étrange ou surprenant.
Antithèse	On met en parallèle deux énoncés de sens opposé.	« les violons des limousines et les xylophones des linotypes » (Blaise Cendrars, « Contrastes »).	Elle met en évidence une opposition ou un contraste.

Petit rappel sur les vers et les rimes

1. Les poèmes en vers

On parle de poèmes en vers lorsqu'ils respectent certaines contraintes formelles, par opposition aux poèmes en prose qui ne comportent pas de vers. On distingue **trois types de vers** selon leur mesure, autrement dit le nombre de leurs syllabes : vers pairs, vers impairs et vers libres.

Les **vers pairs** comptent un nombre pair de syllabes (ou pieds). C'est la forme la plus courante. Parmi les vers pairs les plus utilisés, on trouve :
– l'**octosyllabe** (huit syllabes). Exemple : « C'est/ la/ vil/le/ ten/ta/cu/laire » (Émile Verhaeren, « La Ville ») ;
– le **décasyllabe** (dix syllabes). Exemple : « La/ lu/ne/ pla/quait/ ses/ tein/tes/ de/ zinc » (Paul Verlaine, « Croquis parisien ») ;
– l'**alexandrin** (douze syllabes). Exemple : « Vo/ya/ger/ dans/ les/ airs/ vo/ya/ger/ dans/ les/ astres » (Raymond Queneau, « L'Invitation au voyage »).

Les **vers impairs** comptent un nombre impair de syllabes (ou pieds). Parmi les vers impairs les plus utilisés, on trouve :
– l'**heptasyllabe** (sept syllabes). Exemple : « Au/ pa/ys/ qui/ te/ res/semble ! » (Charles Baudelaire, « L'Invitation au voyage ») ;
– le **pentasyllabe** (cinq syllabes). Exemple : « Et/ de/ Phi/di/as » (Paul Verlaine, « Croquis parisien »).

Pour compter le nombre de syllabes, il faut respecter certaines règles :
– la **règle du « e » muet** : il ne faut pas prononcer le « e » lorsqu'il est placé devant une voyelle ou en fin de vers. Exemple : « voilà c'est le dilemm(e) ou bien c'est un désastr(e) » (Raymond Queneau, « L'Invitation au voyage ») ;
– la **diérèse** : il faut parfois prononcer deux syllabes lorsque deux voyelles sont voisines. On peut s'aider du type de vers qui compose le poème pour les reconnaître. Exemple : « Que des **v-i-o**loncelles » (Jean Cocteau, « Îles »)

– la **synérèse** : à l'inverse de la diérèse, on compte pour une seule et même syllabe deux voyelles voisines. Exemple : « Le/ plus/ cu/**rieux** » (Guillevic, *Art poétique*).

Dans les **vers libres**, le nombre de syllabes n'est pas fixe et varie selon les vers. De longueur très variable, le vers reste marqué par un retour à la ligne mais ne comporte pas toujours de rime. Exemple : « Les fenêtres de ma poésie sont grand'ouvertes sur les boulevards et dans ses vitrines/ Brillent/ Les pierreries de la lumière » (Blaise Cendrars, « Contrastes »).

2. Des sons et des rimes

Une **rime** est la répétition d'un ou de plusieurs sons à la fin de deux vers proches. Selon le nombre de sons en commun, on distingue trois qualités de rime :
– la **rime pauvre** (un seul son répété). Exemple : « Je remonte avec toi/ Dans le fer et le bois » (Guillevic, « Un marteau ») ;
– la **rime suffisante** (deux sons répétés). Exemple : « des vis et des écrous/ et leurs cheveux sont gris et leurs cheveux sont roux » (Jean Follain, « Quincaillerie ») ;
– la **rime riche** (au moins trois sons répétés). Exemple : « Je partirai ! Steamer balançant ta **mâ-tu-re**,/ Lève l'ancre pour une exotique **na-tu-re** ! » (Stéphane Mallarmé, « Brise marine »).

La **disposition des rimes** peut suivre trois types de schéma :
– **les rimes suivies ou plates**, suivant le schéma AABB. Exemple : « Autrefois pour faire sa cour/ On parlait d'amour/ Pour mieux prouver son ard**eur**/ On offrait son c**œur** » (Boris Vian, « La Complainte du progrès ») ;
– les **rimes croisées**, suivant le schéma ABAB. Exemple : « La lune plaquait ses teintes de zinc/ Par angles ob**tus**./ Des bouts de fumée en forme de cinq/ Sortaient drus et noirs des hauts toits poin**tus** » (Paul Verlaine, « Croquis parisien ») ;
– les **rimes embrassées**, suivant le schéma ABBA. Exemple : « Je m'en allais, les poings dans mes poches crevées ;/ Mon paletot aussi devenait id**éal** ;/ J'allais sous le ciel, Muse ! et j'étais ton f**éal** ;/ Oh ! là là ! que d'amours splendides j'ai rêvées » (Arthur Rimbaud, « Ma Bohême »).

Une **allitération** est la répétition d'un même son produit par des consonnes. Exemple : « **c**oupent », « **c**assent », « **c**oups » (Francis Ponge, « L'Huître »).
Une **assonance** est la répétition d'un même son produit par des voyelles. Exemple : « Les sonnettes **a**ch**a**rnées des tr**a**mways » (Blaise Cendrars, « Contrastes »).

3. Les types de strophe

Dans les poèmes en vers, les vers forment un ensemble appelé « strophe ». Ce groupe de vers est détaché du reste du poème par un saut de ligne. Selon le nombre de vers que la strophe comporte, on distingue :

– le **distique** : une strophe de deux vers. Exemple :
« Dans le poème
On peut lire

Le monde comme il apparaît
Au premier regard »
(Guillevic, *Art poétique*) ;

– le **tercet** : une strophe de trois vers. Exemple :
« Où, rimant au milieu des ombres fantastiques,
Comme des lyres, je tirais les élastiques
De mes souliers blessés, un pied près de mon cœur ! »
(Arthur Rimbaud, « Ma Bohême ») ;

– le **quatrain** : une strophe de quatre vers. Exemple :
« Express et paquebots
Qui bercent nos voyages
Ce sont les bateaux-mouches
Et les trains de plaisir »
(Jean Cocteau, « Îles ») ;

– le **quintil** : une strophe de cinq vers. Exemple :
« Aucune exploration
Aucune géologie

Ne se comparent aux circuits du sang
Aux alluvions du corps
Aux éruptions de l'âme »
(Andrée Chedid, « La vie voyage ») ;

– le **sixain** : une strophe de six vers. Exemple :
« Un fleuve de naphte et de poix
Bat les môles de pierre et les pontons de bois ;
Les sifflets crus des navires qui passent
Hurlent de peur dans le brouillard ;
Un fanal vert est leur regard
Vers l'océan et les espaces »
(Émile Verhaeren, « La Ville ») ;

– le **huitain** : une strophe de huit vers. Exemple :
« Le long du vieux faubourg, où pendent aux masures
Les persiennes, abri des secrètes luxures,
Quand le soleil cruel frappe à traits redoublés
Sur la ville et les champs, sur les toits et les blés,
Je vais m'exercer seul à ma fantasque escrime,
Flairant dans tous les coins les hasards de la rime,
Trébuchant sur les mots comme sur les pavés,
Heurtant parfois des vers depuis longtemps rêvés »
(Charles Baudelaire, « Le Soleil »).

Table des poèmes

Notes et citations

Notes et citations

Dernières parutions

ALAIN-FOURNIER
Le Grand Meaulnes

ANOUILH
La Grotte

ASIMOV
Le Club des Veufs noirs

BALZAC
Le Père Goriot

BAUDELAIRE
Les Fleurs du mal – *Nouvelle édition*

BAUM (L. FRANK)
Le Magicien d'Oz

BEAUMARCHAIS
Le Mariage de Figaro

BELLAY (DU)
Les Regrets

BORDAGE (PIERRE)
Nouvelle vie™ et autres récits

CARRIÈRE (JEAN-CLAUDE)
La Controverse de Valladolid

CATHRINE (ARNAUD)
Les Yeux secs

CERVANTÈS
Don Quichotte

« C'EST À CE PRIX QUE VOUS MANGEZ DU SUCRE... » Les discours sur l'esclavage d'Aristote à Césaire

CHEDID (ANDRÉE)
Le Message
Le Sixième Jour

CHRÉTIEN DE TROYES
Lancelot ou le Chevalier de la charrette
Perceval ou le Conte du graal
Yvain ou le Chevalier au lion

CLAUDEL (PHILIPPE)
Les Confidents et autres nouvelles

COLETTE
Le Blé en herbe

COLIN (FABRICE)
Projet oXatan

CONTES DE SORCIÈRES
Anthologie

CONTES DE VAMPIRES
Anthologie

CORNEILLE
Le Cid – *Nouvelle édition*

DIDEROT
Entretien d'un père avec ses enfants

DUMAS
Pauline
Robin des bois

FENWICK (JEAN-NOËL)
Les Palmes de M. Schutz

FEYDEAU
Un fil à la patte

FEYDEAU-LABICHE
Deux courtes pièces autour du mariage

GARCIN (CHRISTIAN)
Vies volées

GRUMBERG (JEAN-CLAUDE)
L'Atelier
Zone libre

HIGGINS (COLIN)
Harold et Maude – *Adaptation de Jean-Claude Carrière*

HOBB (ROBIN)
Retour au pays

HUGO
L'Intervention, *suivie de* La Grand'mère
Les Misérables – *Nouvelle édition*

JONQUET (THIERRY)
La Vigie

KAPUŚCIŃSKI
Autoportrait d'un reporter

KRESSMANN TAYLOR
Inconnu à cette adresse

LA FONTAINE
Fables – *lycée*
Le Corbeau et le Renard et autres fables – *collège*

LAROUI (FOUAD)
L'Oued et le Consul et autres nouvelles

LEBLANC
L'Aiguille creuse

LONDON (JACK)
L'Appel de la forêt

MARIVAUX
La Double Inconstance
L'Île des esclaves
Le Jeu de l'amour et du hasard

MAUPASSANT
Le Horla
Le Papa de Simon
Toine et autres contes normands
Une partie de campagne et autres nouvelles au bord de l'eau
Bel-Ami

MÉRIMÉE
La Vénus d'Ille – *Nouvelle édition*

MIANO (LÉONORA)
Afropean Soul et autres nouvelles

MOLIÈRE
L'Amour médecin. Le Sicilien ou l'Amour peintre
L'Avare – *Nouvelle édition*
Le Bourgeois gentilhomme – *Nouvelle édition*
Dom Juan
Les Fourberies de Scapin – *Nouvelle édition*
Le Médecin malgré lui – *Nouvelle édition*
Le Médecin volant. La Jalousie du Barbouillé
Le Misanthrope
Le Tartuffe
Le Malade imaginaire – *Nouvelle édition*

MONTAIGNE
Essais

NOUVELLES FANTASTIQUES 2
Je suis d'ailleurs et autres récits

PERRAULT
Contes – *Nouvelle édition*

PRÉVOST
Manon Lescaut

RACINE
Phèdre
Andromaque

RADIGUET
Le Diable au corps

RÉCITS POUR AUJOURD'HUI
17 fables et apologues contemporains

RIMBAUD
Poésies

LE ROMAN DE RENART – *Nouvelle édition*

ROUSSEAU
Les Confessions

SALM (CONSTANCE DE)
Vingt-quatre heures d'une femme sensible

SCÈNES DE LA VIE CONJUGALE
Le couple au théâtre, de Shakespeare à Yasmina Reza

STENDHAL
L'Abbesse de Castro

STOKER
Dracula

LES TEXTES FONDATEURS
Anthologie

TRISTAN ET ISEUT

TROIS CONTES PHILOSOPHIQUES
(Diderot, Saint-Lambert, Voltaire)

VERLAINE
Fêtes galantes, Romances sans paroles *précédées de* Poèmes saturniens

VERNE
Un hivernage dans les glaces

VOLTAIRE
Candide – *Nouvelle édition*

WESTLAKE (DONALD)
Le Couperet

ZOLA
Comment on meurt
Jacques Damour
Thérèse Raquin

ZWEIG
Le Joueur d'échecs

Les classiques et les contemporains dans la même collection

ALAIN-FOURNIER
Le Grand Meaulnes

ANDERSEN
La Petite Fille et les allumettes et autres contes

ANOUILH
La Grotte

APULÉE
Amour et Psyché

ASIMOV
Le Club des Veufs noirs

AUCASSIN ET NICOLETTE

BALZAC
Le Bal de Sceaux
Le Chef-d'œuvre inconnu
Le Colonel Chabert
Ferragus
Le Père Goriot
La Vendetta

BARBEY D'AUREVILLY
Les Diaboliques – Le Rideau cramoisi, Le Bonheur dans le crime

BARRIE
Peter Pan

BAUDELAIRE
Les Fleurs du mal – *Nouvelle édition*

BAUM (L. FRANK)
Le Magicien d'Oz

BEAUMARCHAIS
Le Mariage de Figaro

BELLAY (DU)
Les Regrets

LA BELLE ET LA BÊTE ET AUTRES CONTES

BERBEROVA
L'Accompagnatrice

BERNARDIN DE SAINT-PIERRE
Paul et Virginie

LA BIBLE
Histoire d'Abraham
Histoire de Moïse

BOVE
Le Crime d'une nuit. Le Retour de l'enfant

BRADBURY
L'Homme brûlant et autres nouvelles

CARRIÈRE (JEAN-CLAUDE)
La Controverse de Valladolid

CARROLL
Alice au pays des merveilles

CERVANTÈS
Don Quichotte

CHAMISSO
L'Étrange Histoire de Peter Schlemihl

LA CHANSON DE ROLAND

CATHRINE (ARNAUD)
Les Yeux secs

CHATEAUBRIAND
Mémoires d'outre-tombe

CHEDID (ANDRÉE)
L'Enfant des manèges et autres nouvelles
Le Message
Le Sixième Jour

CHRÉTIEN DE TROYES
Lancelot ou le Chevalier de la charrette
Perceval ou le Conte du graal
Yvain ou le Chevalier au lion

CLAUDEL (PHILIPPE)
Les Confidents et autres nouvelles

COLETTE
Le Blé en herbe

COLIN (FABRICE)
Projet oXatan

COLLODI
Pinocchio

CORNEILLE
Le Cid – *Nouvelle édition*

DAUDET
Aventures prodigieuses de Tartarin de Tarascon
Lettres de mon moulin

DEFOE
Robinson Crusoé

DIDEROT
Entretien d'un père avec ses enfants

Jacques le Fataliste
Le Neveu de Rameau
Supplément au Voyage de Bougainville

DOYLE
Trois Aventures de Sherlock Holmes

DUMAS
Le Comte de Monte-Cristo
Pauline
Robin des Bois
Les Trois Mousquetaires, t. 1 et 2

FABLIAUX DU MOYEN ÂGE
LA FARCE DE MAÎTRE PATHELIN
LA FARCE DU CUVIER ET AUTRES FARCES DU MOYEN ÂGE

FENWICK (JEAN-NOËL)
Les Palmes de M. Schutz

FERNEY (ALICE)
Grâce et Dénuement

FEYDEAU
Un fil à la patte

FEYDEAU-LABICHE
Deux courtes pièces autour du mariage

FLAUBERT
La Légende de saint Julien l'Hospitalier
Un cœur simple

GARCIN (CHRISTIAN)
Vies volées

GAUTIER
Le Capitaine Fracasse
La Morte amoureuse. La Cafetière et autres nouvelles

GOGOL
Le Nez. Le Manteau

GRAFFIGNY (MME DE)
Lettres d'une péruvienne

GRIMM
Le Petit Chaperon rouge et autres contes

GRUMBERG (JEAN-CLAUDE)
L'Atelier
Zone libre

HIGGINS (COLIN)
Harold et Maude – *Adaptation de Jean-Claude Carrière*

HOBB (ROBIN)
Retour au pays

HOFFMANN
L'Enfant étranger
L'Homme au Sable
Le Violon de Crémone. Les Mines de Falun

HOLDER (ÉRIC)
Mademoiselle Chambon

HOMÈRE
Les Aventures extraordinaires d'Ulysse
L'Iliade
L'Odyssée

HUGO
Claude Gueux
L'Intervention *suivie de* La Grand'mère
Le Dernier Jour d'un condamné
Les Misérables – *Nouvelle édition*
Notre-Dame de Paris
Quatrevingt-treize
Le roi s'amuse
Ruy Blas

JAMES
Le Tour d'écrou

JARRY
Ubu Roi

JONQUET (THIERRY)
La Vigie

KAFKA
La Métamorphose

KAPUŚCIŃSKI
Autoportrait d'un reporter

KRESSMANN TAYLOR
Inconnu à cette adresse

LABICHE
Un chapeau de paille d'Italie

LA BRUYÈRE
Les Caractères

LEBLANC
L'Aiguille creuse

LONDON (JACK)
L'Appel de la forêt

MME DE LAFAYETTE
La Princesse de Clèves

LA FONTAINE
Le Corbeau et le Renard et autres fables – *Nouvelle édition des* Fables, *collège*
Fables, *lycée*

LANGELAAN (GEORGE)
La Mouche. Temps mort

LAROUI (FOUAD)
L'Oued et le Consul et autres nouvelles

LE FANU (SHERIDAN)
Carmilla

LEROUX
Le Mystère de la Chambre Jaune
Le Parfum de la dame en noir

LOTI
Le Roman d'un enfant

MARIVAUX
La Double Inconstance
L'Île des esclaves
Le Jeu de l'amour et du hasard

MATHESON (RICHARD)
Au bord du précipice et autres nouvelles
Enfer sur mesure et autres nouvelles

MAUPASSANT
Bel-Ami
Boule de suif
Le Horla et autres contes fantastiques
Le Papa de Simon et autres nouvelles
La Parure et autres scènes de la vie parisienne
Toine et autres contes normands
Une partie de campagne et autres nouvelles au bord de l'eau

MÉRIMÉE
Carmen
Mateo Falcone. Tamango
La Vénus d'Ille – *Nouvelle édition*

MIANO (LÉONORA)
Afropean Soul et autres nouvelles

LES MILLE ET UNE NUITS
Ali Baba et les quarante voleurs
Le Pêcheur et le Génie. Histoire de Ganem
Sindbad le marin

MOLIÈRE
L'Amour médecin. Le Sicilien ou l'Amour peintre
L'Avare – *Nouvelle édition*
Le Bourgeois gentilhomme – *Nouvelle édition*
Dom Juan
L'École des femmes
Les Femmes savantes
Les Fourberies de Scapin – *Nouvelle édition*
George Dandin
Le Malade imaginaire – *Nouvelle édition*
Le Médecin malgré lui
Le Médecin volant. La Jalousie du Barbouillé
Le Misanthrope
Les Précieuses ridicules
Le Tartuffe

MONTAIGNE
Essais

MONTESQUIEU
Lettres persanes

MUSSET
Il faut qu'une porte soit ouverte ou fermée. Un caprice
On ne badine pas avec l'amour

OVIDE
Les Métamorphoses

PASCAL
Pensées

PERRAULT
Contes – *Nouvelle édition*

PIRANDELLO
Donna Mimma et autres nouvelles
Six Personnages en quête d'auteur

POE
Le Chat noir et autres contes fantastiques
Double Assassinat dans la rue Morgue. La Lettre volée

POUCHKINE
La Dame de pique et autres nouvelles

PRÉVOST
Manon Lescaut

PROUST
Combray

RABELAIS
Gargantua
Pantagruel

RACINE
Phèdre
Andromaque

RADIGUET
Le Diable au corps

RÉCITS DE VOYAGE
Le Nouveau Monde (Jean de Léry)
Les Merveilles de l'Orient (Marco Polo)

RENARD
Poil de Carotte

RIMBAUD
Poésies

ROBERT DE BORON
Merlin

ROMAINS
L'Enfant de bonne volonté

LE ROMAN DE RENART – *Nouvelle édition*

ROSTAND
Cyrano de Bergerac

ROUSSEAU
Les Confessions

SALM (CONSTANCE DE)
Vingt-quatre heures d'une femme sensible

SAND
Les Ailes de courage
Le Géant Yéous

SAUMONT (ANNIE)
Aldo, mon ami et autres nouvelles
La guerre est déclarée et autres nouvelles

SCHNITZLER
Mademoiselle Else

SÉVIGNÉ (MME DE)
Lettres

SHAKESPEARE
Macbeth
Roméo et Juliette

SHELLEY (MARY)
Frankenstein

STENDHAL
L'Abbesse de Castro
Vanina Vanini. Le Coffre et le Revenant

STEVENSON
Le Cas étrange du Dr Jekyll et de M. Hyde
L'Île au trésor

STOKER
Dracula

SWIFT
Voyage à Lilliput

TCHÉKHOV
La Mouette
Une demande en mariage et autres pièces en un acte

TITE-LIVE
La Fondation de Rome

TOURGUÉNIEV
Premier Amour

TRISTAN ET ISEUT

TROYAT (HENRI)
Aliocha

VALLÈS
L'Enfant

VERLAINE
Fêtes galantes, Romances sans paroles *précédé de* Poèmes saturniens

VERNE
Le Tour du monde en 80 jours
Un hivernage dans les glaces

VILLIERS DE L'ISLE-ADAM
Véra et autres nouvelles fantastiques

VIRGILE
L'Énéide

VOLTAIRE
Candide – *Nouvelle édition*
L'Ingénu
Jeannot et Colin. Le monde comme il va
Micromégas
Zadig – *Nouvelle édition*

WESTLAKE (DONALD)
Le Couperet

WILDE
Le Fantôme de Canterville et autres nouvelles

ZOLA
Comment on meurt
Germinal
Jacques Damour
Thérèse Raquin

ZWEIG
Le Joueur d'échecs

Les anthologies dans la même collection

AU NOM DE LA LIBERTÉ
Poèmes de la Résistance

L'AUTOBIOGRAPHIE
BAROQUE ET CLASSICISME
LA BIOGRAPHIE
BROUILLONS D'ÉCRIVAINS
Du manuscrit à l'œuvre

« C'EST À CE PRIX QUE VOUS MANGEZ DU SUCRE... » Les discours sur l'esclavage d'Aristote à Césaire

CETTE PART DE RÊVE QUE CHACUN PORTE EN SOI

CEUX DE VERDUN
Les écrivains et la Grande Guerre

LES CHEVALIERS DU MOYEN ÂGE
CONTES DE SORCIÈRES

CONTES DE VAMPIRES

LE CRIME N'EST JAMAIS PARFAIT
Nouvelles policières 1

DE L'ÉDUCATION
Apprendre et transmettre de Rabelais à Pennac

LE DÉTOUR

FAIRE VOIR : QUOI, COMMENT, POUR QUOI ?

FÉES, OGRES ET LUTINS
Contes merveilleux 2

LA FÊTE
GÉNÉRATION(S)

LES GRANDES HEURES DE ROME
L'HUMANISME ET LA RENAISSANCE
IL ÉTAIT UNE FOIS
Contes merveilleux 1

LES LUMIÈRES
LES MÉTAMORPHOSES D'ULYSSE
Réécritures de L'*Odyssée*

MONSTRES ET CHIMÈRES
MYTHES ET DIEUX DE L'OLYMPE
NOIRE SÉRIE...
Nouvelles policières 2

NOUVELLES DE FANTASY 1

NOUVELLES FANTASTIQUES 1
Comment Wang-Fô fut sauvé et autres récits

NOUVELLES FANTASTIQUES 2
Je suis d'ailleurs et autres récits

ON N'EST PAS SÉRIEUX QUAND ON A QUINZE ANS Adolescence et littérature

PAROLES DE LA SHOAH
PAROLES, ÉCHANGES, CONVERSATIONS ET RÉVOLUTION NUMÉRIQUE
LA PEINE DE MORT
De Voltaire à Badinter

POÈMES DE LA RENAISSANCE
POÉSIE ET LYRISME
LE PORTRAIT
RACONTER, SÉDUIRE, CONVAINCRE
Lettres des XVIIe et XVIIIe siècles

RÉALISME ET NATURALISME
RÉCITS POUR AUJOURD'HUI
17 fables et apologues contemporains

RIRE : POUR QUOI FAIRE ?

RISQUE ET PROGRÈS
ROBINSONNADES
De Defoe à Tournier

LE ROMANTISME
SCÈNES DE LA VIE CONJUGALE
Le couple au théâtre, de Shakespeare à Yasmina Reza

LE SURRÉALISME
LA TÉLÉ NOUS REND FOUS !

LES TEXTES FONDATEURS
TROIS CONTES PHILOSOPHIQUES
Diderot, Saint-Lambert, Voltaire

TROIS NOUVELLES NATURALISTES
Huysmans, Maupassant, Zola

VIVRE AU TEMPS DES ROMAINS
VOYAGES EN BOHÈME
Baudelaire, Rimbaud, Verlaine

Mise en page par Meta-systems
59100 Roubaix

N° d'édition : L.01EHRN000341.N001
Dépôt légal : mai 2014
Imprimé en Espagne par Novoprint (Barcelone)